500
pizzas
& pains du monde

500

pizzas
& pains du monde

Rebecca Baugniet

LES ÉDITIONS
PUBLISTAR
Une compagnie de Quebecor Media

Directeur de projet : Marianne Canty
Maquette : Roland Codd
Direction artistique : Sofia Henry
Photographies : Mike McClafferty
Styliste culinaire : Wendy Lee
Direction éditoriale : Donna Gregory
Éditeur : James Tavendale

Première édition en 2007 par Apple Press,
7 Greenland Street, London NW1 0ND
Sous le titre *500 Pizzas & Flatbreads*

© Quintet Publishing Limited, 2008
© Éditions Minerva, Genève (Suisse), 2008
© Éditions Publistar pour l'édition française au Canada, 2008

Adaptation et réalisation : Agence Media
Traduction : Hanna Agostini

Les Éditions Publistar
Groupe Librex inc.
Une compagnie de Quebecor Media
La Tourelle
1055, boul. René-Lévesque Est
Bureau 800
Montréal (Québec) H2L 4S5
Tél. : 514 849-5259
Téléc. : 514 849-1388

Dépôt légal – Bibliothèque et Archives nationales du Québec
et Bibliothèque et Archives Canada, 2008

ISBN 978-2-89562-238-3

Imprimé en Chine.

Sommaire

Introduction

Les pains plats existent depuis des temps immémoriaux, à partir du moment où les hommes ont appris à moudre le grain, à mélanger la farine ainsi produite avec de l'eau et à faire cuire le mélange au-dessus du feu. Depuis longtemps aussi, ces petits pains plats ont été agrémentés avec des ingrédients divers.

Probablement la plus ancienne forme de préparation culinaire, le pain plat est présent partout dans le monde, sous des aspects et des textures différents selon les régions et les ingrédients qui le composent. Ainsi, le *plakuntos* des anciens Grecs était garni d'herbes, d'ail et d'oignon tandis que le *tlaxcalli* des Aztèques était fait de maïs, que l'on trempait dans de l'eau additionnée de calcaire pour faciliter la séparation de l'enveloppe et ramollir le grain.

De nombreuses recettes de pain plat ont traversé les siècles pratiquement inchangées depuis leurs origines. Elles sont à base de farines issues d'une ou plusieurs variétés de céréales – blé, millet, seigle, maïs, riz et sarrasin, pour ne citer que celles-là. Ces farines peuvent aussi être obtenues à partir de racines ou de tubercules, tels la patate, le manioc, la betterave et le navet. Avec le développement du marché mondial des produits alimentaires et par le biais des commandes que l'on peut effectuer sur Internet, habitants des villes comme des zones les plus reculées peuvent se familiariser avec les saveurs exotiques et redécouvrir, dans leur cuisine, les mets des civilisations anciennes.

Il existe deux types principaux de pains plats, ceux additionnés de levure ou d'un autre agent levant, et ceux qui n'en contiennent pas. Dans la première catégorie, la pizza s'est imposée depuis une soixante d'années jusqu'à devenir un phénomène d'ampleur internationale. Mais la focaccia (fougasse), la pita, le naan et bien d'autres encore sont également très appréciés.

La particularité de la pizza tient à l'utilisation de la tomate comme garniture principale. Cette habitude se généralise au XVIIIᵉ siècle dans la région de Naples, avant de gagner rapidement toute l'Italie. Un siècle plus tard, la pizza est exportée aux États-Unis par les émigrés italiens et va connaître une nouvelle évolution. Les pizzerias fleurissent dans les diverses villes à travers le pays, et l'on assiste bientôt au développement d'innovations, souvent délicieuses, comme la deep-dish pizza – originaire de Chicago (Californie) –, la pizza à pâte fine ou la pizza pan.

En réaction à cette évolution, les adeptes de la pizza napolitaine forment en 1984 l'Associazione Verace Pizza Napoletana (AVPN) pour en protéger les caractéristiques et établir des règles très spécifiques permettant de revendiquer cette appellation. L'AVPN ne reconnaît que les pizzas margherita et marinara entièrement faites à la main – robots ménagers et rouleaux à pâtisserie n'ayant pas droit de cité. En outre, les pizzas ne doivent pas dépasser 30 cm (12 po) de diamètre et sont obligatoirement cuites dans un four à bois pendant une minute et demie au maximum à une température de 425 °F. Toutefois, il y a peu de risque que l'AVPN vienne inspecter votre cuisine... Rien ne vous empêche donc de vous amuser en expérimentant les associations de votre choix ! Quelle que soit la recette que vous choisissez, une chose est sûre : vous apprécierez le résultat.

Matériel

Pour réussir au mieux vos pizzas et autres pains plats, vous pouvez vous équiper d'une pierre de cuisson pour pizza et d'une plaque à pizza. Mais la plupart des recettes exposées dans cet ouvrage sont réalisables avec du matériel de cuisine de base.

Verres doseurs et cuillères-mesure

La cuisine est une science exacte ; la précision est donc de mise en matière de proportions. Pesez toujours vos ingrédients soigneusement. Utilisez de préférence des verres doseurs pour les liquides. Mesurez la farine soit dans des cuillères-mesure soit dans des verres doseurs.

Saladiers et robots ménagers

Divers saladiers de tailles différentes sont requis. Il en faut un relativement grand pour y confectionner et laisser lever les pâtes. Un saladier en verre gradué d'une contenance de deux litres peut se révéler utile, notamment pour vous permettre de vérifier si votre pâte a suffisamment levé. Les bols de taille inférieure sont pratiques pour la préparation des garnitures et des farces. Un robot ménager équipé de crochets pétrisseurs offre l'avantage de vous permettre d'avancer d'autres tâches pendant qu'il travaille.

Rouleaux à pâtisserie et planches de travail

Les puristes insisteront sur le fait que la pâte à pizza doit s'étaler à la main. Cependant, tant que vous ne maîtrisez pas bien cette technique, il vaut mieux avoir à disposition un rouleau à pâtisserie. Plusieurs modèles sont disponibles dans le commerce. Choisissez celui qui vous convient le mieux. Le rouleau en bois classique, relativement long et sans poignées, a la préférence des professionnels. À défaut de rouleau à pâtisserie, vous pouvez toujours vous rabattre sur une bouteille de vin vide. Les grands billots sont parfaits pour étaler la pâte à pizza, mais un plan de travail bien propre fera également l'affaire.

Pelle à pizza, pierre de cuisson

Une pelle à pizza peut être ronde ou carrée, souple et plate, munie d'une longue poignée. Sa partie avant, très effilée, facilite le glissement de la pizza sur la pierre de cuisson et permet de retirer la pizza plus aisément. Généralement en bois de feuillu, elle est également disponible en inox. Une simple plaque de cuisson très aplatie peut aussi convenir. Les pierres, ou tuiles, de cuisson sont utiles pour confectionner pizzas et autres pains plats dont la pâte, pour être croustillante, requiert une chauffe directe. C'est le cas, entre autres, des pizzas à pâte fine et à pâte napolitaine ou des pains plats tels que le naan (pain indien traditionnellement cuit dans un tandoor, sorte de four en forme de jarre) et la pita (pain originaire de Grèce et du Moyen-Orient). La pierre de cuisson est une épaisse et lourde pièce d'argile (chamotte), ronde ou rectangulaire, qui reproduit les conditions de cuisson dans un four à bois traditionnel. Placée dans la partie basse d'un four électrique ou directement sur le fond d'un four à gaz, la pierre de cuisson est préchauffée en même temps que le four. Vous pouvez vous procurer pelle à pizza et pierre de cuisson dans des magasins spécialisés ou sur des sites de vente en ligne.

Poêles, moules, plaques à pâtisserie et papier sulfurisé

Une poêle en fonte, lourde et épaisse, de 23 cm (9 po) de diamètre peut être utilisée pour la cuisson de pizzas, tout comme d'ailleurs des moules à gâteau de même diamètre ou une grande plaque à pâtisserie rectangulaire à larges bords. La deep-dish pizza, spécialité de Chicago, peut se préparer dans un moule à manqué de 23 cm (9 po) de diamètre, mais des moules appropriés sont disponibles sur de nombreux sites de vente en ligne. Le papier sulfurisé est utile pour chemiser les moules et les plats de cuisson. Il facilite le transfert de la pâte de la plaque à la pierre de cuisson. Il suffit d'abaisser la pâte à pizza directement sur une feuille de papier sulfurisé.

Presses à tortilla et à chapati, tawa et tortilla warmer

La confection de certains pains plats requiert un équipement spécifique. Si vous êtes souvent amené à préparer des tortillas (crêpes de farine de maïs d'origine mexicaine), une presse à tortilla vous fera gagner du temps. On en trouve en aluminium, en fonte, en plastique et en bois. Il existe aussi un modèle électrique qui presse et cuit en une opération. La presse à chapati (pain indien) est en fonte, avec l'intérieur tapissé de deux plaques d'acier inoxydable. Le tawa est une poêle plate en métal, sans bord, sur laquelle on fait cuire les chapatis. Tous ces ustensiles ne sont pas indispensables, excepté si vous faites des tortillas ou des chapatis en quantité. Les pains plats peuvent généralement être cuits sur une poêle plate ou sur un grill. Pour conserver les tortillas au chaud, il existe quantité de récipients en terre cuite, en porcelaine, en silicone ou sous forme de paniers tressés. Mais vous pouvez simplement les placer dans une assiette et les recouvrir avec un torchon ou une feuille d'aluminium.

Minuteurs

Il est important de bien respecter les temps de cuisson. Utilisez le minuteur de votre four ou procurez-vous un minuteur à affichage digital, précis et relativement peu coûteux.

Ingrédients

Alors que les pâtes à pizza et les pains plats sont généralement à base de produits simples – farine, levure, sel, huile d'olive et eau –, les garnitures peuvent être classiques ou exotiques, douces, relevées ou parfumées, selon votre choix. Veillez à toujours utiliser les ingrédients les plus frais possible.

Farine de blé et d'autres céréales

La plupart des recettes de pizza expliquées dans ce livre utilisent un mélange de farine ordinaire et de farine à pain. Cette dernière, légèrement plus riche en gluten, donne du croustillant à la pâte. N'hésitez pas à essayer différents mélanges jusqu'à trouver celui qui vous plaît le plus. Vous pouvez substituer, en partie, la farine complète à la farine blanche, ce qui donnera une pâte plus rugueuse. Dans la tradition mexicaine, la masa harina (pâte de farine de maïs) sert à la confection des tortillas, mais la farine de maïs convient parfaitement. Certains pains plats sont à base de farines spéciales, issues, notamment, de l'orge, du sarrasin, du seigle et du teff (céréale originaire d'Éthiopie). Plus accessibles aujourd'hui qu'hier, ces ingrédients peuvent être trouvés dans les rayons « bio » de certains supermarchés ou encore dans des magasins de diététique.

Levure et autres agents levants

La levure est un champignon unicellulaire microscopique généralement employé comme agent levant dans la confection des pains. On distingue trois types de levure : la levure fraîche (ou levure de boulanger), la levure instantanée (ou levure superactive) et la levure lyophilisée. La levure fraîche se présente sous la forme d'un cube de 42 g ; la levure instantanée est conditionnée en boîte ou en sachet ; la levure lyophilisée se trouve en sachet de 8 g. La levure fraîche doit être conservée au frais (dans la contre-porte du réfrigérateur, enveloppée dans un film étirable) et utilisée dans les 4 à 5 jours. La levure lyophilisée doit être diluée au préalable (1 sachet pour 3 cl [2 c. à s.] d'eau).Pour vérifier qu'une levure est encore vivante, mettez-la dans un peu d'eau chaude avec une pincée de sucre et réservez 5 à 10 min. Si l'ensemble gonfle et mousse, la levure est encore active et peut être utilisée comme agent levant. Enfin, la levure chimique (ou « levure alsacienne ») – composée de divers produits chimiques (bicarbonate de soude, amidon de maïs…) – est parfois utilisée pour la confection de certains pains plats, mais également pour des brioches et autres pâtisseries. Elle est disponible dans la plupart des grandes surfaces.

L'huile

Il convient d'utiliser de l'huile d'olive extravierge dans chacune des recettes, sauf spécifications contraires. Les Italiens laissent macérer de l'huile d'olive avec des copeaux de poivrons rouges écrasés pour faire l'*olio santo,* dont ils arrosent les pizzas dès leur sortie du four.

L'eau

L'eau du robinet contient parfois du chlore et des minéraux qui peuvent affecter l'action de la levure dans la pâte. Si vous éprouvez des difficultés à travailler avec une levure dont vous savez par ailleurs qu'elle est bonne, n'hésitez pas à utiliser pour la délayer soit de l'eau en bouteille soit de l'eau purifiée. Les levures fraîche et instantanée se délaient dans une eau à 100 °F (38 °C) et la levure lyophilisée dans une eau entre 95 et 100 °F (35 et 38 °C). En effet, de l'eau trop froide n'activera pas la levure, tandis que de l'eau trop chaude ou bouillante la tuera.

Herbes, épices et graines

Pour parfumer garnitures et sauces, on préférera les herbes fraîches, mais les herbes séchées feront tout aussi bien l'affaire. En règle générale, 1 c. à c. d'herbes fraîches peut être remplacée par ¼ c. à c. d'herbes séchées. Il est recommandé de toujours avoir sous la main des aromates tels le basilic, l'origan et le persil plat, fréquemment utilisés dans la préparation des pizzas. Les pains plats sont souvent agrémentés d'épices et de graines, comme le sésame, le pavot, le cumin et le lin, que l'on trouve facilement dans les épiceries. Les variétés plus rares sont généralement disponibles dans les magasins de diététique.

Tomates et autres légumes

Les vrais amateurs de pizzas recherchent particulièrement les tomates issues de la région de San Marzano, en Italie. Si vous achetez des conserves, vérifiez qu'elles sont de fabrication italienne. Si vous n'avez pas accès à ce type de produit, essayez au préalable différentes marques, afin de sélectionner celle qui vous semble la plus parfumée et de meilleure qualité. Privilégiez les tomates entières en conserve, car les graines qui ont été écrasées pendant le processus de conservation donnent un goût amer à l'ensemble. Dans certains cas, en particulier si vous utilisez des tomates concassées en conserve, n'hésitez pas à rajouter un peu de sucre pour réduire l'amertume. Pour cela, commencez par ¼ de c. à c., puis augmentez la dose, si besoin. Si vous confectionnez vous-même la sauce, optez pour des tomates bien parfumées ayant mûri sur pied.

Fromages, saucisses et viandes séchées

Les pizzas mettent parfaitement à l'honneur les meilleurs fromages italiens. Si vous avez accès à une bonne fromagerie/crémerie, vous n'aurez aucun mal à vous procurer de l'authentique mozzarella, de la bonne ricotta, du parmesan digne de ce nom ou encore d'excellents asiago, taleggio, fontine, gorgonzola ou provolone. Toutefois, il existe toujours la solution « Internet » pour vous faire livrer tous ces fromages dans un délai réduit. Les recettes expliquées dans ce livre utilisent de la mozzarella râpée, que vous trouverez en sachet dans la plupart des supermarchés. La mozzarella fraîche s'emploie tranchée ou en morceaux. Ne vous limitez pas, cependant, aux fromages italiens ; d'autres fromages font également de savoureuses garnitures pour les pizzas et les pains plats. Le fromage de chèvre, les fromages frais à l'ail et aux fines herbes (Boursin®, Tartare®...) et les bleus doux (Saint-Agur®) donnent aussi d'excellents résultats, comme vous le constaterez d'après les recettes qui vous sont proposées dans cet ouvrage. La saucisse, débarrassée de sa peau, est souvent utilisée comme garniture ou dans les sauces. Préférez de la saucisse fraîche, telle la saucisse italienne. Les salaisons, comme la pancetta, le prosciutto, la mortadelle et le salami, se trouvent assez facilement dans les rayons spécialisés des supermarchés ou dans les épiceries fines italiennes.

Pâte à pizza du commerce

Vous rêvez d'une pizza mais vous n'avez pas le temps de préparer la pâte. Pas d'inquiétude : celle que l'on trouve dans le commerce peut parfaitement convenir. Les magasins proposent des pâtes précuites ou surgelées de très bonne qualité. Vous pouvez aussi essayer d'autres pains plats, comme les naans ou les pitas, pour remplacer la pâte à pizza classique. Les muffins sont de la bonne taille pour faire des minipizzas – garnissez-les de sauce et de fromage râpé, puis passez-les au four bien chaud jusqu'à ce que le fromage soit fondu. Quel délicieux en-cas minute !

Les bases

La préparation des pizzas et des pains plats

On a coutume de penser que faire du pain est chose difficile et prend beaucoup de temps. Mais une fois que vous aurez réussi une magnifique pizza et de délicieux pains plats, vous constaterez que ce sont des idées fausses. Les recettes de ce livre sont organisées selon plusieurs petites tâches, dont chacune ne requiert que quelques minutes. Choisissez la recette qui vous convient le mieux. Si vous manquez de temps, vous avez toujours la possibilité de sauter quelques étapes en utilisant de la pâte à pizza du commerce ou une sauce toute prête, par exemple.

Si vous souhaitez préparer votre pâte à pizza à l'avance, sachez qu'elle peut lever au réfrigérateur, le processus de levage étant ralenti par le froid. Placez les parts de pâte dans de grands sacs munis d'un système de fermeture, aplatissez-les en forme de disque et faites le vide d'air. Répétez l'opération trois fois, à intervalle d'une heure. La pâte peut ensuite être conservée au réfrigérateur pour une durée de 24 h. Au moment de son utilisation, laissez-la revenir à température ambiante et attendez qu'elle lève 2 à 3 h. Si vous préparez la pâte le jour même, prévoyez un temps de levage suffisant. Celui-ci peut aller de 10 min à 2 ou 3 h, selon la recette que vous aurez choisie.

Les pâtes additionnées d'agents levants doivent être légèrement recouvertes puis placées dans un endroit tiède, sans courant d'air, pour le levage. Si vous êtes dans un environnement frais, allumez votre four (355 °F/180 °C) pendant que vous préparez la pâte. Éteignez-le au bout de 5 min. Lorsque votre pâte est prête, déposez-la dans le four, en vérifiant au préalable qu'il soit seulement tiède et non pas chaud. Vous maintiendrez ainsi la pâte à une chaleur tempérée, tout en évitant qu'elle ne commence à cuire.

Au moment d'abaisser la pâte, laissez-la reposer pendant quelques minutes après le premier coup de rouleau. Donnez-lui de temps de s'habituer à sa nouvelle forme, puis poursuivez l'opération.

La cuisson

Avant de commencer, lisez attentivement toutes les étapes de la recette. Vous pourrez ainsi évaluer le temps qui sera nécessaire à sa confection et préparer les divers ingrédients dont vous aurez besoin. Chaque étape réclame de l'espace. Veillez donc à commencer à travailler dans une cuisine propre et nette.

Une fois la recette lue et les ingrédients rassemblés, vous voilà dans les starting-blocks ! Les températures indiquées sont celles que doit atteindre le four avant d'y placer la pizza ou le pain plat. Pour obtenir une pâte croustillante, il faut que le four et la pierre de cuisson (ou la plaque) soient préchauffés pendant 1 h à 465 °F (240 °C). Si vous avez un doute sur le réglage de votre four, utilisez un thermomètre de cuisson, disponible dans la plupart des magasins spécialisés. Et si vous constatez que votre pâte à pizza commence à brûler avant que le dessus ne soit cuit, baissez la température de 10 à 20°F (5 à 10 °C) et remontez d'un cran la pierre à cuisson (ou la plaque).

Pendant le levage de la pâte, préparez votre sauce ainsi que les garnitures. Une fois la pelle à pizza garnie de pâte, travaillez rapidement. Secouez légèrement la pâte afin de vérifier qu'elle ne colle pas et que vous pourrez la faire glisser aisément sur la pierre de cuisson (ou la plaque). Pour éviter ces désagréments, vous pouvez au préalable saupoudrer la pelle d'un peu de farine blanche (ou de farine de maïs) ou placer dessus une feuille de papier sulfurisé.

Les pizzas et les pains plats cuisent rapidement sur une pierre chaude – pour vos premières réalisations, ne vous éloignez pas trop de la cuisine et surveillez de près la cuisson. Vous devrez probablement ajuster la température de votre four, suivant son fonctionnement.

Pâte à pizza pan (ou pâte à pizza épaisse)

Pour une grande pâte à pizza rectangulaire ou deux disques de pâte de 23 cm (9 po) de diamètre.

160 g de farine
125 g de farine type 55
1 c. à c. de levure lyophilisée
½ c. à c. de miel liquide

1 ½ c. à c. d'huile d'olive
¾ c. à c. de sel

Mélangez les farines. Dans le bol d'un robot ménager, versez 20 cl (¾ tasse) d'eau chaude, la levure, le miel et l'huile. Ajoutez 5 c. à s. des farines mélangées et actionnez l'appareil à vitesse minimale (ou mélangez à la main) jusqu'à homogénéité. Couvrez d'un linge et laissez reposer 20 min environ : la mixture doit mousser sur le dessus. Ajoutez le reste des farines mélangées et le sel et, après avoir équipé le robot des crochets pétrisseurs, travaillez la pâte 4 min (ou 10 min environ à la main), jusqu'à ce qu'elle soit souple et élastique. Couvrez de nouveau et laissez lever la pâte dans un endroit tiède pendant 1 h 30 : elle doit doubler de volume.

Pour une pizza rectangulaire : huilez légèrement un plat rectangulaire de 38,7 × 26 × 1,91 cm. (15¼ po X 10¼ po X ¾ po). Déposez la pâte au milieu du plat, puis aplatissez-la vers les côtés, en prenant soin de la répartir uniformément, de manière à chemiser toute la surface. À l'aide de petites piques en bois et de serviettes en papier, construisez une « tente » pour abriter la pâte et laissez-la lever de nouveau dans un endroit tiède et à l'abri des courants d'air pendant 45 min.

Pour deux pizzas circulaires : huilez légèrement deux moules à gâteau de 23 cm (9 po) de diamètre. Coupez la pâte en deux parts égales que vous façonnerez en boule. À l'aide d'un rouleau à pâtisserie (ou avec vos mains), étalez chaque boule en un disque de 23 cm (9 po). Avec vos doigts, étirez et remontez légèrement les bords de la pâte. Déposez la pâte dans les moules, recouvrez-la d'une serviette propre et laissez-la lever dans un endroit tiède pendant 45 min.

Pâte à pizza fine

Elle ne lève qu'une fois et cuit très vite. Pour trois pizzas de 30 cm de diamètre ou six pizzas individuelles de 15 cm de diamètre. Temps de cuisson identique dans les deux cas.

175 g de farine
200 g de farine type 55
1 c. à c. de sucre
1 c. à c. de levure instantanée

1 c. à c. de sel
1 ½ c. à s. d'huile d'olive extravierge

Mélangez les farines. Prenez-en 225 g que vous mettrez dans le bol du robot ménager avec le sucre, la levure et le sel. Réservez. Mélangez l'huile d'olive dans 22,5 cl (1 tasse) d'eau chaude. Équipez le robot de la palette et, l'appareil en marche, versez doucement le mélange eau/huile dans le bol. Mélangez de nouveau jusqu'à homogénéité. Ajoutez ensuite 115 g de farine.

Équipez maintenant le robot des crochets pétrisseurs et travaillez la pâte à vitesse minimale 4 à 5 min ; elle doit former une boule lisse et élastique. Si vous n'utilisez pas de robot, farinez légèrement pâte et pétrissez-la à la main 10 min environ.

Déposez la pâte dans un saladier légèrement huilé et couvrez-la d'une serviette en papier. Laissez-la reposer dans un endroit tiède et à l'abri des courants d'air 1 h 30 à 3 h ; elle doit doubler de volume.

Une fois la pâte levée, coupez-la en trois parts égales (ou en six) à l'aide d'un couteau tranchant. Façonnez chaque morceau en une boule que vous aplatissez en forme de disque. Avec les mains ou à l'aide d'un rouleau à pâtisserie, étalez chaque disque en un cercle de 30 cm/12 po (ou 15 cm/6 po) de diamètre qui ne doit pas dépasser 2 mm d'épaisseur.

Pâte à calzone

Toutes les recettes de calzone (pizza en chausson) expliquées dans cet ouvrage reprennent cette base.

175 g de farine
200 g de farine type 55
1 c. à c. de sucre semoule
2 c. à c. de levure instantanée

1 c. à c. de sel
1 ½ c. à s. d'huile d'olive extravierge

Mélangez les farines. Prenez-en 225 g que vous mettrez dans le bol du robot ménager avec le sucre, la levure et le sel. Réservez. Mélangez l'huile d'olive dans 22,5 cl (1 tasse) d'eau chaude. Équipez le robot de la palette et, l'appareil en marche, versez doucement le mélange eau/huile dans le bol. Mélangez de nouveau jusqu'à homogénéité. Ajoutez ensuite le reste de farine.

Équipez maintenant le robot des crochets pétrisseurs et travaillez la pâte à vitesse minimale 4 à 5 min ; elle doit former une boule lisse et élastique. Si vous n'utilisez pas de robot, farinez légèrement la pâte et pétrissez-la à la main 10 min environ.

Déposez la pâte dans un saladier légèrement huilé et couvrez-la d'une serviette en papier. Laissez reposer 10 min, puis pétrissez de nouveau la pâte.

À l'aide d'un couteau tranchant, coupez-la en quatre parts égales que vous façonnerez chacune en une boule. Aplatissez chaque boule en un disque que vous farinerez légèrement avant de l'abaisser en un cercle de 15 cm (9 po) de diamètre et de 3 mm d'épaisseur. N'hésitez pas à saupoudrer la pâte avec davantage de farine pour éviter qu'elle ne colle.

Pâte à pizza double

La pâte idéale pour des pizzas rustiques ou fourrées.

2 c. à c. de levure lyophilisée
225 g de farine
200 g de farine type 55
1 c. à c. de sel

Dans un petit bol, versez 32,5 cl (1½ tasse) d'eau chaude et saupoudrez-la de levure. Laissez reposer pendant 1 min ; la levure doit former une mousse. Mélangez bien jusqu'à dissolution complète. Ajoutez l'huile d'olive.

Dans le bol du robot ménager, mélangez les farines et le sel. Ajoutez la levure dissoute. Équipez l'appareil des crochets pétrisseurs et faites-le tourner pendant 4 à 5 min à vitesse minimale : la pâte doit former une boule. Si vous pétrissez la pâte à la main, mélangez la levure et la farine jusqu'à formation d'un ensemble compact, que vous pétrirez 10 min environ sur un plan de travail légèrement fariné. La pâte doit être souple et élastique.

Déposez la pâte dans un saladier légèrement huilé recouvert d'une serviette en papier. Laissez-la lever dans un endroit tiède et à l'abri des courants d'air 1 h 30 à 2 h. La pâte doit doubler de volume. Pétrissez de nouveau la pâte.

À l'aide d'un couteau tranchant, coupez la pâte en deux parts, l'une étant un peu plus grosse que l'autre. Façonnez chaque part en une boule que vous déposerez dans des moules légèrement farinés. Recouvrez les moules d'une serviette en papier et laissez une nouvelle fois lever la pâte dans un endroit tiède et à l'abri des courants d'air pendant 1 h. Elle doit là encore doubler de volume.

Pâte à pizza napolitaine

Une pâte délicieuse... et inratable ! Pour deux disques de 30 cm (12 po) de diamètre.

1 c. à c. de levure lyophilisée
1 c. à c. de sel
115 g de farine
250 g de farine type 55

Dans le bol du robot ménager, mélangez la levure dans 30 cl (1¼ tasse) d'eau chaude. Réservez 5 min. Ajoutez-y le sel puis les farines mélangées (115 g à la fois). Quand la pâte commence à se former, équipez le robot des crochets pétrisseurs et pétrissez 4 à 5 min, jusqu'à obtention d'un ensemble souple et élastique.

Divisez la pâte en deux parts égales que vous déposerez dans deux saladiers légèrement huilés, en prenant soin d'imprégner uniformément les deux parts.

Couvrez les bols d'une serviette en papier et placez-les dans un endroit tiède et à l'abri des courants d'air 2 à 3 h, pour laisser lever la pâte. Celle-ci doit doubler de volume. Vous pouvez aussi préparer la pâte la veille au soir. Dans ce cas, filmez les saladiers et mettez-les au frais. Sortez-les du réfrigérateur 1 h avant l'heure prévue d'utilisation de la pâte.

Enfournez la pierre de cuisson pour pizza (ou la plaque) et préchauffez le four à 465 °F (240 °C). Saupoudrez de farine chaque boule de pâte. À l'aide d'un rouleau à pâtisserie ou avec vos mains, étalez chaque boule en un disque d'environ 30 cm de diamètre.

Pâte à pizza turque

Cette pâte sert à la confection de la pizza turque (p. 114). Elle peut toutefois être utilisée pour d'autres pizzas. Sachez cependant qu'elle contient davantage de matière grasse que les autres pâtes, ce qui explique qu'elle soit plus souple et plus friable.

2 ¼ de c. à c. de levure lyophilisée
2 c. à s. de beurre doux, fondu
2 c. à s. d'huile d'olive extravierge
1 c. à c. de sel

225 g de farine
125 g de farine type 55

Dans le bol du robot ménager, mélangez la levure dans 22,5 cl (1 tasse) d'eau chaude. Réservez 10 min ; la levure doit être entièrement dissoute.

Incorporez à l'ensemble le beurre fondu et l'huile d'olive. Ajoutez-y le sel, puis les farines mélangées (115 g à la fois). Quand la pâte commence à se former, équipez l'appareil des crochets pétrisseurs et pétrissez 4 à 5 min, jusqu'à obtention d'un ensemble souple et élastique.

Déposez la pâte dans un bol légèrement huilé. Roulez-la afin qu'elle s'imprègne d'huile de manière uniforme.

Couvrez le bol d'une serviette en papier et placez-le dans un endroit tiède et à l'abri des courants d'air pendant 1 h, pour laisser lever la pâte. Celle-ci doit doubler de volume.

Pâte à deep-dish pizza

Une pâte à pizza « made in Chicago ». Pour trois disques de 23 cm (9 po).

22 g de levure instantanée
12 cl (½ tasse) d'huile de pépins de raisin
4 c. à s. d'huile d'olive

65 g semoule de maïs, fine
2 c. à c. de sel
625 g de farine

Dans le bol du robot ménager, faites dissoudre la levure dans 50 cl (2 tasse) d'eau tiède. Réservez 2 min. Ajoutez-y les huiles mélangées, la semoule de maïs, le sel et 400 g de farine. Mélangez bien.

Équipez l'appareil des crochets pétrisseurs. Versez la farine restante dans le bol et pétrissez l'ensemble 4 à 5 min jusqu'à obtention d'une pâte lisse et souple.

Couvrez le bol d'une serviette en papier et placez-le dans un endroit tempéré pendant 1 h. La pâte doit doubler de volume.

Pétrissez de nouveau la pâte, couvrez-la et laissez-la lever dans un endroit tiède et à l'abri des courants d'air pendant 40 min.

Divisez la pâte en trois parts égales que vous façonnerez en boule. Abaissez chaque boule en un disque de 23 cm (9 po) de diamètre.

Fine pâte à pizza à la farine complète

Plus riche en fibres que la farine blanche, la farine complète fait une pâte légèrement plus rugueuse. Pour trois disques de 30 cm (12 po).

115 g de farine
125 g de farine type 55
125 g de farine complète
1 c. à c. de sucre en poudre

1 c. à c. de levure instantanée
1 c. à c. de sel
4 ½ c. à c. d'huile d'olive extravierge

Mélangez les farines. Prenez-en 225 g que vous mettrez dans le bol du robot ménager avec le sucre, la levure et le sel. Réservez. Mélangez l'huile d'olive dans 22,5 cl (1 tasse) d'eau chaude. Équipez le robot ménager de la palette et, l'appareil en marche, versez doucement le mélange eau/huile dans le bol. Mélangez jusqu'à homogénéité. Ajoutez ensuite le reste de farine.

Équipez l'appareil des crochets pétrisseurs et travaillez la pâte à vitesse minimale 4 à 5 min jusqu'à obtention d'une boule lisse et élastique. Si vous n'utilisez pas de robot, farinez légèrement la pâte et pétrissez-la à la main pendant 10 min.

Déposez la pâte dans un saladier légèrement huilé et couvrez-la d'une serviette en papier. Laissez-la reposer dans un endroit tiède et à l'abri des courants d'air 1 h 30 à 3 h ; elle doit doubler de volume.

Une fois la pâte levée, coupez-la en trois parts égales à l'aide d'un couteau tranchant. Façonnez chaque morceau en une boule que vous aplatirez en forme de disque. Avec vos mains ou à l'aide d'un rouleau à pâtisserie, étalez chaque disque en un cercle de 30 cm (12 po) de diamètre qui ne doit pas dépasser 2 mm d'épaisseur.

Pâte à pizza sans gluten

Cette préparation fera une excellente pâte à pizza pour ceux qui doivent respecter un régime sans gluten.

2 c. à s. de levure instantanée

1 c. à c. de sucre

30 cl (1¼ tasse) de lait tiède

200 g de farine de riz brun

150 g de farine de tapioca

4 c. à c. de gomme de guar en poudre

1 c. à c. de sel

1 c. à c. de gélatine en poudre

2 c. à c. d'huile d'olive extravierge

2 c. à c. de vinaigre de cidre

Préchauffez le four à 425 °F (220 °C).

Dans un petit bol, mettez un peu de lait tiède que vous saupoudrez de levure et de sucre. Réservez 5 min ; le sucre et la levure doivent être dissous.

Dans le bol du robot ménager, mettez les farines, la gomme de guar, le sel et la gélatine en poudre. Ajoutez la levure et mélangez jusqu'à homogénéité. Incorporez ensuite l'huile et le vinaigre. Filmez le bol du robot et laissez lever la pâte environ 10 min.

Garnissez de papier sulfurisé une plaque à pizza de 30 cm (12 po) de côté. Posez la pâte sur la plaque et saupoudrez-la d'un peu de farine de riz. Avec les mains, étalez la pâte pour foncer la plaque.

Faites précuire pendant 10 min, puis garnissez la pâte à votre convenance.
Enfournez de nouveau pour 15 min. Saupoudrez de fromage et faites cuire 5 min de plus.

Sauce pour pizza

Facile à réaliser, cette délicieuse sauce sert de garniture de base pour la plupart des pizzas. Pour 40 cl (1 ²/₃ tasse) de sauce.

3 c. à s. d'huile d'olive
1 gousse d'ail, finement émincée
800 g de tomates entières pelées, en conserve
½ c. à c. de sel

½ c. à c. d'origan séché ou 1 c. à s. d'origan frais, finement hâché
1 pincée de piment rouge, séché et émietté

Faites chauffer l'huile dans une grande poêle à fond épais.

Faites-y rissoler l'ail pendant 1 à 2 min. Ajoutez les tomates que vous concasserez à l'aide d'une cuillère en bois.

Laissez mijoter 15 à 20 min de manière à faire évaporer la plus grande partie du liquide ; la sauce doit être relativement épaisse.

Assaisonnez de sel, d'origan et de piment rouge à votre convenance.

Pesto

Frais et très parfumé, le pesto est relativement facile à préparer. Il rehausse très agréablement les pizzas et autres pains plats. Pour 50 cl (2 tasses) de pesto.

75 g de feuilles de basilic frais	25 g de pecorino, finement râpé
25 g de pignons de pin	5 c. à s. d'huile d'olive extravierge
25 g de parmesan, finement râpé	Sel et poivre noir, fraîchement moulu

Mettez tous les ingrédients, à l'exception de l'huile d'olive, du sel et du poivre dans le bol du robot ménager. Mixez jusqu'à obtention d'un mélange finement haché.

Tout en continuant à faire tourner l'appareil, ajoutez l'huile d'olive, en la versant en un filet régulier par l'orifice dans le couvercle du bol, jusqu'à obtention d'une pâte souple et lisse. Salez et poivrez à votre convenance.

Si vous souhaitez un pesto d'un vert vif qui conserve sa belle couleur, faites blanchir les feuilles de basilic pendant quelques secondes avant de réaliser la recette.

Un éventuel reste de cette préparation peut être conservé environ une semaine au réfrigérateur ou congelé dans des bacs à glaçons. Le pesto, une fois dégelé, doit être mixé de nouveau pour retrouver sa consistance originale.

Tapenade

Cette pâte à tartiner d'origine provençale peut aisément remplacer la sauce pour pizza classique. Elle fait aussi un excellent dip, à servir en accompagnement de pain pita.

115 g de filets d'anchois, rincés et épongés
4 gousses d'ail, pelées
350 g d'olives noires, dénoyautées

175 g de câpres, égouttées
225 ml (1 tasse) d'huile d'olive extravierge
1 citron, pour le jus

Mettez tous les ingrédients dans le bol du robot ménager. Mixez jusqu'à homogénéité.

Tout en continuant à faire tourner l'appareil, ajoutez l'huile d'olive, en la versant en un filet régulier par l'orifice dans le couvercle du bol.

Ajoutez le jus de citron. Continuez à mixer jusqu'à consistance épaisse, mais lisse.

Un reste éventuel de cette préparation peut se conserver environ une semaine au frais.

Sauce à la saucisse

Bien qu'elle soit plus longue à préparer que la sauce pour pizza classique, cette recette vous ravira ! Utilisez des saucisses piquantes ou moyennement fortes, selon vos goûts. Pour 40 cl (1 ²/₃ tasse) de sauce.

1 c. à s. d'huile d'olive
450 g de saucisse italienne ou de saucisse piquante
2 gousses d'ail, écrasées
400 g de tomates entières pelées, en conserve

½ c. à c. de sel
½ c. à c. d'origan séché ou 1 c. à s. d'origan frais, finement ciselé
1 pincée de piments rouges, séchés

Faites chauffer l'huile dans une grande poêle.

Faites-y revenir les saucisses que vous aurez détaillées en petits tronçons, jusqu'à ce qu'ils soient légèrement dorés. Ajoutez l'ail et l'origan et poursuivez la cuisson pendant 1 à 2 min.

Ajoutez enfin les tomates, que vous écraserez dans la poêle avec une cuillère en bois. Laissez mijoter environ 1 h, jusqu'à quasi complète évaporation du liquide ; la sauce doit être épaisse et consistante.

Salez et poivrez à votre convenance.

Ratatouille

Ce ragoût de légumes provençal constitue une délicieuse garniture pour pizza.
Les amateurs de légumes l'apprécieront particulièrement.

3 c. à s. d'huile d'olive extravierge
1 oignon moyen, pelé et coupé en petits
   morceaux
2 petites aubergines, débarrassées de leurs
   extrémités et coupées en dés
2 gousses d'ail, écrasées
3 petites courgettes, débarrassées de leurs
   extrémités et coupées en dés

1 poivron vert, épépiné et coupé
1 poivron rouge, épépiné et coupé
3 brins de thym frais
1 tige de romarin frais
1 feuille de laurier
400 g de tomates entières pelées, en conserve
3 c. à s. de basilic frais, grossièrement haché
Sel et poivre, fraîchement moulu

Faites chauffer l'huile à feu moyen dans une grande poêle.

Faites-y revenir doucement les oignons environ 10 min ; ils doivent être tendres
et légèrement brunis.

Ajoutez les aubergines et l'ail, et poursuivez la cuisson 4 à 5 min. Incorporez
les courgettes et les poivrons, et faites sauter l'ensemble environ 5 min.

Placez le thym, le romarin et la feuille de laurier dans une petite mousseline ou liez-les
ensemble à la manière d'un bouquet garni. Ajoutez les aromates aux légumes et réduisez
le feu (à moyen-faible).

Couvrez et laissez mijoter 30 à 40 min, en remuant de temps en temps. Avant de servir,
enlevez le bouquet garni, ajoutez le basilic et assaisonnez à votre goût.

Les pizzas pan

Ces pizzas à pâte épaisse (moelleuse dedans et croquante dehors) sont généreusement garnies de sauce tomate, de fromage fondu et d'autres garnitures délicieuses. Elles séduiront le plus grand nombre et rassasieront les plus affamés.

Pizza au fromage classique

Pour 1 grande pizza rectangulaire – 6 à 8 personnes.

Les amateurs de grands classiques adopteront sans hésitation cette recette !

Pâte à pizza épaisse (p. 16)
Sauce pour pizza (p. 25)
175 g de mozzarella, râpée

Préparez une pâte à pizza rectangulaire en suivant la recette p. 16.

Préchauffez le four à 465 °F (240 °C). Répartissez uniformément la sauce sur la pâte à pizza, en laissant libre une marge de 1 cm (⅓ po) sur le pourtour. Enfournez en position basse pour environ 8 min.

Sortez la pizza du four et saupoudrez-la de fromage râpé de manière à bien recouvrir la sauce. Enfournez de nouveau pour 5 à 6 min ; le fromage doit être fondu et la pâte joliment dorée.

Laissez reposer 5 min au sortir du four.

Tranchez en 12 parts et servez sans attendre.

Voir variantes p. 48

Pizza au poulet grillé et à la fontine

Pour 2 disques de 23 cm (9 po) de diamètre – 6 à 8 personnes.

Voici une excellente manière d'accommoder un reste de poulet grillé.

Pâte à pizza épaisse (p. 16)
Sauce pour pizza (réduire de moitié
   les proportions de la recette p. 25)
225 g de fontine, râpée
1 à 2 blancs de poulet, grillés et tranchés

2 oignons rouges, finement tranchés,
   rondelles défaites
Poivre noir, fraîchement moulu
2 c. à s de persil plat, finement hâché
4 c. à s de parmesan, finement râpé

Préparez 2 pâtes à pizza circulaires en suivant la recette p. 16.

Préchauffez le four à 465 °F (240 °C). Divisez la sauce en 2 parts égales et répartissez-la uniformément sur les disques de pâte, en laissant libre une marge de 1 cm (⅓ po) sur le pourtour. Saupoudrez la moitié du fromage sur la sauce de chaque pizza. Disposez par-dessus la moitié des rondelles d'oignon et la moitié du poulet. Poivrez légèrement.

Faites cuire pendant 8 à 10 min à mi-hauteur du four ; le fromage doit être fondu et la pâte joliment dorée.

Garnissez de persil haché et de parmesan. Découpez et servez.

Voir variantes p. 49

Pizza margherita

Pour 2 disques de 23 cm (9 po) de diamètre – 6 à 8 personnes.

Inventée en 1889 en hommage à la reine Marguerite, cette pizza est aux couleurs du drapeau italien (le rouge des tomates, le blanc de la mozzarella et le vert du basilic).

Pâte à pizza épaisse (p. 16)
Sauce pour pizza (p. 25)
115 g de mozzarella, finement tranchée

4 grandes feuilles de basilic, grossièrement déchirées

Préparez 2 pâtes à pizza circulaires en suivant la recette p. 16.

Préchauffez le four à 465 °F (240 °C). Divisez la sauce en 2 parts égales et répartissez-la uniformément sur les disques de pâte, en laissant libre une marge de 1 cm ($\frac{1}{3}$ po) sur le pourtour.
Répartissez les tranches de fromage également entre les deux pizzas.

Enfournez en position basse pour environ 8 min ; le fromage doit être fondu et la pâte joliment dorée.

Garnissez de feuilles de basilic. Découpez et servez.

Voir variantes p. 50

Pizza à la saucisse et au poivron

Pour 1 grande pizza rectangulaire – 6 à 8 personnes.

L'alliance de la saucisse épicée et des lamelles de poivron rouge contribue à une pizza merveilleusement parfumée.

Pâte à pizza épaisse (p. 16)
Sauce pour pizza (p. 25)
450 g de saucisse italienne (forte ou
    moyennement forte) ou de saucisse
    au fenouil ou aux herbes

1 c. à s d'huile d'olive
225 g de mozzarella, râpée
1 poivron rouge, épépiné et coupé
    en fines lamelles

Préparez une pâte à pizza rectangulaire en suivant la recette p. 16.

Préchauffez le four à 465 °F (240 °C). Défaites les saucisses et émiettez leur chair en petits tas. Dans une grande poêle, faites chauffer l'huile d'olive et faites-y dorer la chair à saucisse. Égouttez bien la viande. Répartissez la sauce uniformément sur la pâte, en laissant libre une marge de 1 cm (⅓ po) sur le pourtour. Enfournez dans la partie base du four pour 8 min.

Au sortir du four, garnissez uniformément de mozzarella râpée, et disposez par-dessus les morceaux de saucisse ainsi que les lamelles de poivron rouge. Enfournez de nouveau pour 5 à 6 min ; le fromage doit être fondu et la pâte joliment dorée.

Laissez reposer 5 min, puis découpez en 12 parts égales et servez sans attendre.

Voir variantes p. 51

Pizza végétarienne

Pour 1 grande pizza rectangulaire – 6 à 8 personnes.

Débordant de tomates fraîches, de champignons, d'oignons, de poivrons, d'olives noires et vertes, cette pizza ravira les plus exigeants des amateurs de pizzas végétariennes.

Pâte à pizza épaisse (p. 16)
Sauce pour pizza (p. 25)
225 g de mozzarella, râpée
2 à 3 tomates (mûries sur pied), tranchées

115 g de champignons émincés
1 oignon doux, finement émincé
1 poivron vert, finement émincé

50 g d'olives vertes dénoyautées
50 g d'olives noires dénoyautées

Préparez une pâte à pizza rectangulaire en suivant la recette p. 16.

Préchauffez le four à 465°F (240 °C). Répartissez uniformément la sauce sur la pâte à pizza, en laissant libre une marge de 1 cm ($\frac{1}{3}$ po) sur le pourtour. Enfournez en position basse pour environ 8 min.

Sortez la pizza du four et saupoudrez-la de fromage râpé de manière à bien recouvrir la sauce. Disposez ensuite les tranches de tomate, les champignons, l'oignon, le poivron et les olives par-dessus le fromage. Enfournez de nouveau pour 5 à 6 min ; le fromage doit être fondu et la pâte joliment dorée.

Laissez reposer 5 min au sortir du four.

Découpez en 12 parts égales et servez sans attendre.

Voir variantes p. 52

Pizza toute garnie

Pour 1 grande pizza rectangulaire – 6 à 8 personnes.

L'appellation « toute garnie » désigne traditionnellement une pizza où se mêlent fromage, pepperoni, oignons, champignons et poivrons verts.

Pâte à pizza épaisse (p. 16)
Sauce pour pizza (p. 25)
225 g de mozzarella, râpée
225 g de petits champignons, émincés

225 g de pepperoni, finement tranché (environ 24 tranches)
½ oignon doux, finement émincé

1 gros poivron vert, épépiné et finement tranché sur la largeur

Préparez une pâte à pizza rectangulaire en suivant la recette p. 16.

Préchauffez le four à 465°F (240 °C). Répartissez uniformément la sauce sur la pâte à pizza, en laissant libre une marge de 1 cm (⅓ po) sur le pourtour. Enfournez en position basse pour environ 8 min.

Sortez la pizza du four et saupoudrez-la de mozzarella râpée de manière à bien recouvrir la sauce. Disposez le pepperoni, les oignons, les champignons et les poivrons par-dessus le fromage. Enfournez de nouveau pour 5 à 6 min ; le fromage doit être fondu et la pâte joliment dorée.

Laissez reposer 5 min au sortir du four, puis découpez en 12 parts égales et servez sans attendre.

Voir variantes p. 53

Pizza à l'ail et à l'huile d'olive

Pour 2 disques de 23 cm (9 po) de diamètre – 6 à 8 personnes.

Cette pizza servie en bâtonnets remplace avantageusement le pain à l'ail.

Pâte à pizza épaisse (p. 16)
2 gousses d'ail, finement émincées
2 c. à s d'huile d'olive extravierge

½ c. à c. d'origan séché
1 pincée de copeaux de piments séchés
1 pincée de gros sel

Préparez 2 pâtes à pizza circulaires en suivant la recette p. 16.

Préchauffez le four à 465°F (240 °C). Mélangez l'ail, l'huile d'olive, l'origan, les copeaux de piment et le sel. Divisez l'appareil en 2 parts égales et garnissez-en chaque disque de pâte, en prenant soin de laisser une marge de 1 cm (⅓ po) sur le pourtour.

Enfournez les pizzas en position basse pour 7 à 9 min ; la pâte doit être joliment dorée.

Laissez reposer 5 min au sortir du four.

Découpez en fines lamelles et servez sans attendre.

Voir variantes p. 54

Pizza au steak et aux champignons

Pour 2 disques de 23 cm (9po) de diamètre – 6 à 8 personnes.

Cette pizza aussi savoureuse que généreuse satisfera les plus solides appétits !

Pâte à pizza épaisse (p. 16)
Sauce pour pizza (p. 25)
115 g de mozzarella, râpée
350 g de steak, légèrement grillé
   et finement tranché

225 g de champignons blancs ou bruns,
   finement tranchés
115 g de gouda fumé râpé
½ c. à c. d'origan séché (facultatif)

Préparez 2 pâtes à pizza circulaires en suivant la recette p. 16.

Préchauffez le four à 465°F (240 °C). Divisez la sauce en 2 parts égales et répartissez-la uniformément sur les disques de pâte, en laissant libre une marge de 1 cm (⅓ po) sur le pourtour.

Répartissez les tranches de viande et les champignons également entre les deux pizzas. Parsemez-les de fromage, puis enfournez-les pour 8 à 10 min dans la partie basse du four ; le fromage doit être fondu et la pâte joliment dorée.

Au sortir du four, saupoudrez d'origan séché, si vous le désirez.

Découpez en parts égales et servez sans attendre.

Voir variantes p. 55

Pizza aux anchois, aux olives et aux oignons caramélisés

Pour 1 grande pizza rectangulaire – 6 à 8 personnes.

Une préparation sophistiquée où la douceur des oignons contraste agréablement avec les anchois et les olives, plutôt salés.

Pâte à pizza épaisse (p. 16)
4 à 5 c. à s. d'huile d'olive
    extravierge
4 oignons doux, finement
    émincés

50 g de beurre
¼ c. à c. de romarin, séché
    et émietté
Sel et poivre noir, fraîchement
    moulu

8 à 10 anchois à l'huile,
    égouttés, rincés et épongés
50 g d'olives noires
    dénoyautées
50 g de pecorino, râpé

Préparez une pâte à pizza rectangulaire en suivant la recette p. 16.

Préchauffez le four à 465°F (240 °C). Dans une grande poêle à fond épais, faites chauffer l'huile. Faites-y rissoler les oignons 5 min ; ils doivent être tendres. Ajoutez le beurre et le romarin et poursuivez la cuisson 15 min environ ; les oignons doivent maintenant être confits. Salez et poivrez à votre convenance et laissez refroidir.

Répartissez les oignons uniformément sur la pâte, en prenant soin de laisser libre une marge de 1 cm (⅓ po) sur le pourtour. Disposez les anchois et les olives par-dessus. Enfournez dans la partie basse du four pour 8 min. Sortez la pizza du four et parsemez-la de fromage râpé. Enfournez de nouveau pour 5 à 6 min. Au sortir du four, le fromage doit être fondu et la pâte joliment dorée.

Laissez reposer 5 min, puis découpez en 12 parts égales et servez sans attendre.

Voir variantes p. 56

Pizza aux fruits de mer

Pour 2 disques de 23 cm (9po) de diamètre – 6 à 8 personnes.

Une pizza exquise que vous accompagnerez d'une salade verte pour un repas complet.

Pâte à pizza épaisse (p. 16)
2 c. à s. d'huile d'olive extravierge
1 gousse d'ail, finement hachée
12 à 15 moules décortiquées
150 g de calamars (décongelés si besoin),
   nettoyés

12 à 15 crevettes moyennes (décongelées
   si besoin), décortiquées et nettoyées
Sel et poivre noir, fraîchement moulu
2 c. à s. de persil frais, finement ciselé
2 c. à c. de zeste de citron, finement râpé

Préparez 2 pâtes à pizza circulaires en suivant la recette p. 16.

Préchauffez le four à 465°F (240 °C). Dans une grande poêle antiadhésive, faites chauffer l'huile d'olive. Faites-y rissoler l'ail 1 min. Ajoutez les fruits de mer et poursuivez la cuisson 1 à 2 min ; les calamars doivent être opaques et les crevettes roses.

Répartissez les fruits de mer sur les deux disques de pâte, en prenant soin de laisser une marge de 1 cm (⅓ po) sur le pourtour. Salez et poivrez à votre convenance. Faites cuire à mi-hauteur du four 8 à 10 min.

Au sortir du four, la pâte doit être joliment dorée. Laissez reposer 5 min. Saupoudrez de persil et de zeste de citron.

Tranchez et servez sans attendre.

Voir variantes p. 57

Pizza au fromage classique

Recette de base p. 31

Pizza au pepperoni et au fromage
Suivez la recette de base, en disposant 12 à 14 fines tranches (115 g)
de pepperoni par-dessus la sauce, avant de parsemer la pizza de fromage.

Pizza au salami et au fromage
Suivez la recette de base, en disposant 3 à 4 tranches de salami, découpées
chacune en quartiers, par-dessus le fromage râpé.

Pizza au jambon et au fromage
Suivez la recette de base, en recouvrant la sauce de 3 ou 4 tranches
de jambon, déchirées en lamelles, avant de parsemer la pizza de fromage.

Pizza à la pancetta et au fromage
Suivez la recette de base, en ajoutant 50 g de pancetta, découpée en dés
que vous ferez frire, par-dessus le fromage émietté.

Pizza au jambon de Parme et au fromage
Suivez la recette de base, en recouvrant la sauce de 3 ou 4 tranches
de jambon de Parme, déchirées en lamelles, avant de parsemer la pizza
de fromage.

Pizza au poulet grillé et à la fontine

Recette de base p. 32

Pizza au poulet rôti à la sauce barbecue et à la fontine
Suivez la recette de base, en remplaçant le poulet grillé par la même quantité de poulet rôti à la sauce barbecue, préalablement effiloché.

Pizza au poulet grillé et aux tomates séchées
Suivez la recette de base, en garnissant la pâte recouverte de sauce de 4 tomates séchées et conservées dans de l'huile d'olive, égouttées et grossièrement coupées.

Pizza au poulet grillé et au pesto
Suivez la recette de base, en remplaçant, pour chaque pizza, la sauce tomate de base par 4 c. à s. de pesto (p. 26). Omettez la fontine, les oignons rouges et le persil. Garnissez la pizza de 25 g de pignons grillés, si vous le désirez.

Pizza au poulet cajun et au fromage
Suivez la recette de base, en remplaçant le poulet grillé par une effilochée de poulet cajun, la fontine par du cheddar râpé et le persil frais par de la coriandre fraîche finement ciselée, dans les mêmes quantités.

Pizza au poulet grillé et aux oignons frits
Suivez la recette de base, en remplaçant les tranches d'oignon rouge par une généreuse portion d'oignons frits.

Pizza margherita

Recette de base p. 35

pizza margherita sur pâte à pizza sans gluten
Suivez la recette de base, en remplaçant la pâte à pizza pan par la pâte
à pizza sans gluten (p. 24).

pizza margherita aux anchois
Suivez la recette de base, en disposant des filets d'anchois (6 pièces
par pizza) par-dessus la sauce, avant de parsemer la pizza de fromage.

pizza margherita aux cœurs d'artichauts
Suivez la recette de base, en ajoutant à chaque pizza 75 g de cœurs
d'artichauts, égouttés et coupés en morceaux, avant de la parsemer
de fromage.

pizza margherita aux olives
Suivez la recette de base, en ajoutant à chaque pizza 50 g d'un hachis
d'olives marinées et dénoyautées, avant de la parsemer de fromage.

pizza margherita au chèvre
Suivez la recette de base, en remplaçant la mozzarella par la même
quantité de fromage de chèvre, finement tranché.

Pizza à la saucisse et au poivron

Recette de base p. 36

Pizza à la saucisse et à la choucroute
Suivez la recette de base, en remplaçant les tranches de poivron rouge par de la choucroute en conserve égouttée.

Pizza à la saucisse et aux champignons à la crème
Suivez la recette de base, en remplaçant les tranches de poivron rouge par 12 cl (½ tasse) de champignons à la crème.

Pizza à la saucisse aux trois oignons
Suivez la recette de base, en remplaçant les tranches de poivron rouge par des oignons blancs doux, des oignons rouges et des oignons verts.

Pizza à la saucisse et au chutney
Suivez la recette de base, en remplaçant la sauce pour pizza de base par 35 cl (1 ⅓ tasse) de chutney.

Pizza à la saucisse et au poivron sur pâte sans gluten
Suivez la recette de base, en remplaçant la pâte à pizza pan par la pâte à pizza sans gluten (p. 24).

Pizza végétarienne

Recette de base p. 39

Pizza végétarienne aux asperges
Suivez la recette de base, en ajoutant 8 à 10 asperges cuites à la vapeur.

Pizza végétarienne à la feta
Suivez la recette de base, en remplaçant la mozzarella par 350 g de feta
émiettée.

Pizza végétarienne aux poireaux
Suivez la recette de base, en ajoutant 1 poireau, coupé en julienne
et cuit à la vapeur, aux autres éléments de garniture.

Pizza végétarienne aux légumes racines rôtis, au pesto et au chèvre
Suivez la recette de base, en remplaçant la sauce tomate de base par 12 cl
($^1/_2$ tasse) de pesto. Remplacez la mozzarella par 275 g de chèvre frais émietté
et les tomates, les champignons, les oignons, les poivrons et les olives
par 425 g d'un assortiment de légumes racines rôtis, comme des carottes,
des navets et des betteraves.

Pizza végétarienne au gouda fumé
Suivez la recette de base, en remplaçant 115 g de mozzarella par la même
quantité de gouda fumé. Mélangez les deux sortes de fromage puis
parsemez-en la pizza, en prenant soin de bien recouvrir la sauce.

Pizza toute garnie

Recette de base p. 40

Pizza toute garnie au bacon

Suivez la recette de base, en ajoutant à la garniture 4 tranches de bacon frit émiettées.

Pizza toute garnie aux trois poivrons

Suivez la recette de base, en utilisant seulement ½ poivron vert. Complétez la garniture avec un demi-poivron rouge et un demi-poivron jaune finement tranchés.

Pizza toute garnie à la saucisse

Suivez la recette de base, en ajoutant aux éléments de garniture 225 g de chair à saucisse épicée ou aux herbes, façonnée en boulettes. Faites rissoler les boulettes dans 1 c. à s d'huile d'olive, puis égouttez soigneusement.

Pizza toute garnie au rôti de bœuf

Suivez la recette de base, en remplaçant le pepperoni par 225 g de rôti de bœuf froid que vous ajouterez à la garniture.

Pizza toute garnie sur pâte au fromage

Suivez la recette de base, en badigeonnant légèrement le bord de la pâte d'huile d'olive et en la parsemant de 25 g de mozzarella râpée supplémentaires

Pizza à l'ail et à l'huile d'olive

Recette de base p. 43

Pizza à l'ail, à l'huile d'olive et au persil plat
Suivez la recette de base, en saupoudrant chaque pizza de 2 c. à s. de persil plat frais finement hâché, juste au sortir du four.

Pizza à l'ail, à l'huile d'olive et au fromage
Suivez la recette de base, en garnissant chaque pizza de 175 g de mozzarella râpée 5 min après les avoir enfournées. Poursuivez la cuisson pendant encore 3 à 5 min ; le fromage doit être fondu et la pâte joliment dorée.

Pizza à l'ail, à l'huile d'olive et aux olives
Suivez la recette de base, en garnissant chaque pizza de 55 g d'olives par-dessus la sauce.

Pizza à l'ail, à l'huile d'olive et aux crevettes
Suivez la recette de base, en disposant sur chaque pizza recouverte de sauce 50 g de crevettes nettoyées, décortiquées et cuites.

Pizza à l'ail et à l'huile d'olive sur pâte au sésame
Suivez la recette de base, en badigeonnant légèrement d'huile d'olive les disques de pâte et en les saupoudrant de 1 c. à s de graines de sésame avant de les recouvrir de sauce.

Pizza au steak et aux champignons

Recette de base p. 44

Pizza au steak, aux champignons et à la raclette
Suivez la recette de base, en remplaçant le gouda fumé par la même quantité de raclette.

Pizza au steak, aux champignons et aux oignons
Suivez la recette de base, en ajoutant à la viande et aux champignons ½ oignon rouge finement émincé.

Pizza au steak et aux aubergines
Suivez la recette de base, en remplaçant les champignons par 1 petite aubergine italienne, tranchée et grillée.

Pizza au steak et à la courgette
Suivez la recette de base, en remplaçant les champignons par 1 petite courgette, coupée en longueur et grillée.

Pizza au steak et aux champignons sur pâte aux herbes
Suivez la recette de base, en badigeonnant légèrement la pâte d'huile d'olive et en la saupoudrant de ½ c. à c. d'herbes aromatiques italiennes, avant de les recouvrir de sauce.

Pizza aux anchois, aux olives et aux oignons caramélisés

Recette de base p. 45

Pizza aux oignons caramélisés et au fromage frais à l'ail et aux fines herbes

Suivez la recette de base, en remplaçant le pecorino par 275 g de fromage frais à l'ail et aux fines herbes, que vous déposerez en petits tas.

Pizza aux oignons caramélisés et au gorgonzola

Suivez la recette de base, en remplaçant le pecorino par 275 g de gorgonzola, que vous déposerez en petits tas.

Pizza aux oignons caramélisés et aux champignons

Suivez la recette de base, en ajoutant 115 g de champignons aux oignons caramélisés.

Pizza aux oignons caramélisés et au maquereau fumé

Suivez la recette de base, en remplaçant les anchois par 225 g de maquereau fumé, grossièrement coupé en morceaux. Omettez les olives.

Pizza aux anchois, aux olives et à la tomate

Suivez la recette de base, en omettant les oignons caramélisés. Badigeonnez légèrement la pâte d'huile d'olive et ajoutez à la garniture d'anchois et d'olives 1 à 2 tomates fraîches finement émincées.

Variantes

Pizza aux fruits de mer

Recette de base p. 46

Pizza aux moules et à l'ail rôti

Suivez la recette de base, en omettant les crevettes et le poulpe, et doublez la quantité de moules. Pour l'ail en chemise : mettez trois têtes d'ail arrosées d'huile d'olive dans un plat de cuisson, puis enfournez 50 à 60 min dans un four préchauffé à 375°F (190 °C). Au sortir du four, laissez refroidir, puis coupez les têtes d'ail en deux, dans le sens de la largeur. Pressez l'ail dans un bol, ajoutez l'huile du plat de cuisson et écrasez à la fourchette jusqu'à homogénéité. Garnissez chaque pâte de 2 à 3 c. à s. de cette préparation, recouvrez de moules. Saupoudrez d'origan et garnissez de 2 c. à s. de pecorino râpé.

Pizza aux fruits de mer et aux tomates

Suivez la recette de base, en garnissant la pizza d'une tomate tranchée, avant d'y disposer les fruits de mer.

Pizza au crabe et au chèvre

Suivez la recette de base, en remplaçant les fruits de mer par 200 g de chair de crabe mélangée à 150 g de fromage de chèvre frais. Garnissez de 2 tomates mûres, épépinées et coupées en petits dés, et d'olives noires finement hachées.

Pizza aux calamars

Suivez la recette de base, en omettant les crevettes et les moules, et doublez la quantité de calamars. Parsemez les calamars de 50 à 115 g de chèvre frais. Saupoudrez d'origan et garnissez d'olives noires, si vous le désirez.

Pizzas à pâte fine

Ces pizzas font d'excellentes entrées, des en-cas savoureux et peuvent même constituer tout un repas. Leur pâte fine cuit très rapidement – si bien qu'elles sont prêtes en un rien de temps. Proposez toute une variété de garnitures et laissez à vos proches et à vos amis le soin de composer eux-mêmes leur pizza, lors d'une soirée décontractée. Ce type de pizza à pâte fine est apprécié aussi bien des adultes que des enfants.

Pizza aux épinards et à la feta

Pour 3 disques de 30 cm (12 po) de diamètre – 6 personnes.

Cette préparation à base d'épinards change agréablement de la sauce tomate classique.

Pâte à pizza fine (p. 17)
450 g de jeunes pousses d'épinards
1 ½ c. à s. d'huile d'olive extravierge
1 gousse d'ail, finement hachée
115 g de ricotta

½ c. à c. d'origan, séché
1 pincée de noix muscade
Sel et poivre noir, fraîchement moulu
250 g de feta, émiettée

Préparez 3 pâtes à pizza circulaires en suivant la recette p. 17. Préchauffez le four à 465°F (240 °C) avec la pierre de cuisson (ou la plaque) en position basse.

Préparation de la sauce aux épinards : équeutez les feuilles d'épinards. Dans une grande poêle à fond épais, faites chauffer l'huile à feu moyen et faites-y revenir l'ail finement émincé 1 min. Ajoutez les épinards et remuez ; les feuilles doivent être ramollies. Égouttez les épinards et emballez-les dans une serviette en papier pour éponger l'excès d'eau. Dans un saladier de taille moyenne, mélangez les épinards et la ricotta jusqu'à homogénéité. Salez et poivrez ; assaisonnez d'origan et de noix muscade.

Chemisez légèrement la pelle à pizza de farine ou de fécule de maïs. Déposez-y un disque de pâte que vous garnirez de ⅓ de la préparation aux épinards, en laissant libre une marge de 1 cm (⅓ po) sur le pourtour. Émiettez ⅓ de la feta sur la sauce aux épinards et enfournez. Faites cuire 5 à 7 min ; le fromage doit être fondu, et la pâte gonflée sur le bord et croquante sur le dessous.

Sortez la pizza du four. Répétez l'opération avec les deux autres disques de pâte.

Voir variantes p. 76

Pizza jardinière

Pour 3 disques de 30 cm (12 po) de diamètre – 6 personnes.

La pizza idéale à réaliser lorsque les jardins et les marchés regorgent de beaux légumes.

Pâte à pizza fine (p. 17)
Sauce pour pizza (p. 25)
1 grosse aubergine, tranchée
   dans le sens de la largeur
275 g de courgettes, pelées
   et tranchées

1 ½ c. à s. d'huile d'olive
   extravierge
Sel et poivre noir, fraîchement
   moulu
2 grosses tomates fraîches,
   tranchées

225 g de fromage frais à l'ail
   et aux fines herbes
2 c. à s. d'herbes fraîches
   mélangées (basilic,
   origan, romarin)
Un peu de farine pour la pelle

Préparez 3 pâtes à pizza circulaires en suivant la recette p. 17. Préchauffez le four à 465°F (240 °C) avec la pierre de cuisson (ou la plaque) en position basse.

Préparation des légumes : faites chauffer un gril en fonte ou électrique. Disposez les tranches d'aubergine et de courgette badigeonnées d'huile d'olive. Faites cuire 3 à 4 min de chaque côté. Les légumes doivent être tendres et porter les marques de la grille. Salez et poivrez, puis réservez. Grillez ainsi tous les légumes.

Farinez légèrement la pelle à pizza. Placez-y un disque de pâte que vous garnirez de ⅓ de la sauce pour pizza, en prenant soin de laisser libre une marge de 1 cm (⅓ po) sur le pourtour. Disposez quelques tranches d'aubergine, de courgette et de tomate. Parsemez de petits tas de fromage frais et saupoudrez de 1 c. à c. d'herbes fraîches.
Enfournez pour 5 à 7 min ; le fromage doit être fondu, et la pâte gonflée sur le bord et croquante sur le dessous. Sortez la pizza du four et saupoudrez-la de 1 c. à c. d'herbes fraîches. Répétez l'opération avec les deux autres disques de pâte.

Voir variantes p. 77

Pizza au pesto

Pour 3 disques de 30 cm (12 po) de diamètre – 6 personnes.

Une pizza simple, mais absolument divine. Quel régal !

Pâte à pizza fine (p. 17)
17,5 cl de pesto (p. 26)
2 tomates fraîches, découpées en fines tranches

175 g de mozzarella, râpée
Un peu de farine ou de fécule de maïs
pour la pelle

Préparez 3 pâtes à pizza circulaires en suivant la recette p. 17. Préchauffez le four à 465°F (240 °C) avec la pierre de cuisson (ou la plaque) en position basse.

Chemisez légèrement la pelle à pizza de farine ou de fécule de maïs. Placez-y un disque de pâte que vous garnirez de 1/3 du pesto (soit environ 4 c. à s.), en prenant soin de laisser libre une marge de 1 cm (1/3 po) sur le pourtour. Disposez par-dessus 6 à 8 tranches de tomate que vous recouvrirez de 1/3 de la mozzarella râpée. Enfournez pour 4 à 6 min ; le fromage doit être fondu, et la pâte gonflée sur le bord et croquante sur le dessous.

Sortez la pizza du four à l'aide de la pelle à pizza.

Répétez l'opération avec les deux autres disques de pâte.

Voir variantes p. 78

Pizza aux champignons sauvages sur pâte à la farine complète

Pour 3 disques de 30 cm (12 po) de diamètre – 6 personnes.

Le goût terreux des champignons s'accorde parfaitement avec la farine complète.

Pâte à pizza à la farine complète (p. 23)
Sauce pour pizza (p. 25)
1 c. à s. d'huile d'olive extravierge
3 gousses d'ail, finement hachées
675 g de petits champignons de Paris,
    nettoyés, équeutés et émincés

900 g de champignons mélangés (agarics,
    pleurotes en coquille, rosé-des-prés et
    shiitakés), nettoyés, équeutés et émincés
½ c. à c. de romarin, séché et émietté
175 g de mozzarella, râpée
Un peu de farine ou de fécule de maïs
    pour la pelle

Préparez 3 pâtes à pizza circulaires en suivant la recette p. 17. Préchauffez le four à 465°F (240 °C) avec la pierre de cuisson (ou la plaque) en position basse.

Faites chauffer l'huile dans une grande poêle à fond épais. Faites-y revenir l'ail 1 min. Ajoutez les champignons et poursuivez la cuisson environ 15 min ; les champignons doivent être tendres et secs (leur jus doit être entièrement évaporé). Chemisez légèrement la pelle à pizza de farine ou de fécule de maïs. Placez-y un disque de pâte que vous garnirez de ⅓ de la préparation aux champignons, en prenant soin de laisser libre une marge de 1 cm (⅓ po) sur le pourtour. Saupoudrez de romarin et parsemez de ⅓ de la mozzarella râpée. Enfourner pour 4 à 6 min ; le fromage doit être fondu, et la pâte gonflée sur le bord et croquante sur le dessous.

Sortez la pizza du four. Répétez l'opération avec les deux autres disques de pâte.

Voir variantes p. 79

Pizza quatre saisons

Pour 3 disques de 30 cm (12 po) de diamètre – 6 personnes.

Véritable régal pour les yeux, cette pizza évoque réellement les quatre saisons.

Pâte à pizza fine (p. 17)
Sel et poivre noir, fraîchement moulu
Un peu de farine ou de fécule de maïs pour la
   pelle
Garniture de printemps : 450 g d'asperges
   fraîches (les pointes)

Garniture d'été : 225 g de pesto (p. 26)
Garniture d'automne : 225 g de purée
   de poivrons rouges
Garniture d'hiver : 225 g de ricotta ;
   25 g de parmesan, finement râpé ;
   1 pincée de noix muscade

Préparez 3 pâtes à pizza circulaires en suivant la recette p. 17. Préchauffez le four à 465°F (240 °C) avec la pierre de cuisson (ou la plaque) en position basse.

Faites cuire les asperges à la vapeur 4 à 5 min ; elles doivent être cuites, mais croquantes. Dans un saladier, mélangez la ricotta, le parmesan, la noix muscade, le sel et le poivre.

Chemisez légèrement la pelle à pizza de farine ou de fécule de maïs. Placez-y un disque de pâte et garnissez le premier quartier de 1/3 tiers de la préparation à la ricotta, en prenant soin de laisser une marge de 1 cm (1/3 po) sur le pourtour. Disposez 1/3 des pointes d'asperges sur un autre quartier. Étalez 1/3 du pesto sur un troisième quartier et 1/3 de la purée de poivrons rouges sur le dernier quartier. Enfournez pour 4 à 6 min ; le fromage doit être fondu, et la pâte gonflée sur le bord et croquante sur le dessous.

Sortez la pizza du four. Répétez l'opération avec les deux autres disques de pâte.

Voir variantes p. 80

Pizza blanche

Pour 3 disques de 30 cm (12 po) de diamètre – 6 personnes.

Cette délicieuse variante de la pizza aux quatre fromages enferme une couche d'épinards entre deux délicieuses couches de fromage fondu.

Pâte à pizza fine (p. 17)
450 g de ricotta
2 c. à s. de basilic frais, finement ciselé
1 pincée de noix muscade

275 g de mozzarella, râpée
Sel et poivre, fraîchement moulu
75 g de feuilles d'épinards, coupées et cuites

40 g de parmesan, finement râpé
Un peu de farine ou de fécule de maïs pour la pelle

Préparez 3 pâtes à pizza circulaires en suivant la recette p. 17. Préchauffez le four à 465°F (240 °C) avec la pierre de cuisson (ou la plaque) en position basse.

Préparation de la garniture : dans un saladier de taille moyenne, mélangez la ricotta et le basilic. Salez et poivrez, puis assaisonnez de noix muscade.

Chemisez légèrement la pelle à pizza de farine ou de fécule de maïs. Placez-y un disque de pâte et garnissez-le de ⅓ de la préparation à la ricotta, en prenant soin de laisser une marge de 1 cm (⅓ po) sur le pourtour. Recouvrez ensuite de ⅓ des épinards et terminez en parsemant l'ensemble de ⅓ de la mozzarella et de ⅓ du parmesan. Enfournez pour 4 à 6 min ; le fromage doit être fondu, et la pâte gonflée sur le bord et croquante sur le dessous.

Sortez la pizza du four. Répétez l'opération avec les deux autres disques de pâte.

Voir variantes p. 81

Pizza à la tapenade

Pour 3 disques de 30 cm (12 po) de diamètre – 6 personnes.

La tapenade est traditionnellement faite d'olives noires, de câpres et d'anchois, mais diverses variantes se trouvent dans la plupart des supermarchés.

Pâte à pizza fine (p. 17)   175 g de fromage de chèvre
35 cl (1⅓ tasse) de tapenade (p. 27)   Un peu de farine ou de fécule de maïs
                                             pour la pelle

Préparez 3 pâtes à pizza circulaires en suivant la recette p. 17. Préchauffez le four à 465°F (240 °C) avec la pierre de cuisson (ou la plaque) en position basse.

Chemisez légèrement la pelle à pizza de farine ou de fécule de maïs. Placez-y un disque de pâte que vous garnissez de ⅓ de la tapenade, en prenant soin de laisser une marge de 1 cm (⅓ po) sur le pourtour. Répartissez par-dessus le fromage de chèvre, en petits tas représentant la valeur de ½ c. à c.

Enfournez pour 4 à 5 min ; le fromage doit être fondu, et la pâte gonflée sur le bord et croquante sur le dessous.

Sortez la pizza du four. Répétez l'opération avec les deux autres disques de pâte.

Voir variantes p. 82

Pizza au saumon fumé et aux câpres

Pour 3 disques de 30 cm (12 po) de diamètre – 6 personnes.

Voici une pizza dont il faut faire cuire la pâte avant de la garnir. Facile à monter à la dernière minute, elle est parfaite pour un petit déjeuner ou servie en entrée.

Pâte à pizza fine (p. 17)
225 g de fromage à tartiner
120 g de crème aigre
1 c. à s. de coriandre fraîche, finement ciselée

1 c. à c. de jus de citron
350 g de saumon fumé
6 c. à s. de câpres, égouttées
Un peu de farine ou de fécule de maïs pour la pelle

Préparez 3 pâtes à pizza circulaires en suivant la recette p. 17. Préchauffez le four à 465°F (240 °C) avec la pierre de cuisson (ou la plaque) en position basse.

Chemisez légèrement la pelle à pizza de farine ou de fécule de maïs. Placez-y un disque de pâte, puis enfournez pour 4 à 5 min. Réservez et laissez refroidir.

Préparation de la garniture au fromage : mélangez jusqu'à homogénéité le fromage à tartiner, la crème aigre, la coriandre et le jus de citron. Garnissez chaque disque de pâte cuite de 1/3 de ce mélange. Disposez par-dessus 115 g de saumon fumé, coupé en lamelles, ainsi que 2 c. à s. de câpres.

Répétez l'opération pour les deux autres disques de pâte.

Voir variantes p. 83

Pizza à la tomate fraîche

Pour 3 disques de 30 cm (12 po) de diamètre – 6 personnes.

Cette pizza doit être préparée à la pleine saison des tomates, avec des légumes mûris sur pied. En règle générale, elle se déguste froide !

Pâte à pizza fine (p. 17)
4 tomates mûries sur pied, grossièrement hachées
4 à 5 feuilles de basilic frais, grossièrement coupées

1 gousse d'ail, hachée
2 c. à s. d'huile d'olive extravierge
2 c. à s. de basilic frais, haché
Sel et poivre, moulu

225 g de mozzarella, râpée
2 tomates mûries sur pied, finement tranchées
Un peu de farine ou de fécule de maïs pour la pelle

Préparez 3 pâtes à pizza circulaires en suivant la recette p. 17. Préchauffez le four à 465°F (240 °C) avec la pierre de cuisson (ou la plaque) en position basse.

Préparation de la sauce tomate fraîche : mixez (avec un mixeur plongeant ou dans un robot ménager) les tomates coupées, le basilic, l'ail et l'huile d'olive jusqu'à homogénéité. Salez et poivrez à votre convenance.

Chemisez légèrement la pelle à pizza de farine ou de fécule de maïs. Placez-y un disque de pâte que vous garnirez de 1/3 de la sauce tomate, en prenant soin de laisser libre une marge de 1 cm (1/3 po) sur le pourtour. Parsemez de 1/3 de la mozzarella. Disposez par-dessus de fines tranches de tomate. Enfourner pour 4 à 5 min.

Au sortir du four, parsemez la pizza de 2 c. à s. de basilic finement ciselé. Répétez l'opération avec les deux autres disques de pâte.

Variantes p. 84

Pizza au fromage de chèvre, à la roquette et à la poire

Pour 3 disques de 30 cm (12 po) de diamètre – 6 personnes.

Des arômes inattendus se mêlent ici en une pizza d'une merveilleuse fraîcheur.

1 pâte à pizza fine (p. 17)
350 g de fromage de chèvre
3 poires (williams ou conférence), fermes mais
    mûres, pelées, évidées et tranchées
4 c. à s. de crème fraîche

2 c. à c. de jus de citron
225 g de jeunes feuilles de roquette, lavées,
    séchées et équeutées
Un peu de farine ou de fécule de maïs
    pour la pelle

Préparez 3 pâtes à pizza circulaires en suivant la recette p. 17. Préchauffez le four à 465°F (240 °C) avec la pierre de cuisson (ou la plaque) en position basse.

Chemisez légèrement la pelle à pizza de farine ou de fécule de maïs. Placez-y un disque de pâte. Dans un saladier, mélangez le fromage de chèvre et la crème fraîche jusqu'à homogénéité. Aspergez les tranches de poire de jus de citron pour éviter qu'elles ne brunissent.

Garnissez le disque de pâte de ⅓ de la préparation au fromage de chèvre, en prenant soin de laisser libre une marge de 1 cm (⅓ po) sur le pourtour. Disposez par-dessus ⅓ des tranches de poire et recouvrez de ⅓ des feuilles de roquette.

Enfournez pour 4 à 5 min. Répétez l'opération avec les deux autres disques de pâte.

Voir variantes p. 85

Pizza aux épinards et à la feta

Recette de base p. 59

Pizza aux épinards, à la feta et aux tomates séchées
Suivez la recette de base, en ajoutant à la feta, pour chaque pizza, 2 tomates séchées et conservées à l'huile d'olive, égouttées et coupées en lamelles.

Pizza aux épinards, au bacon et au fromage de chèvre
Suivez la recette de base. Faites frire 12 tranches de bacon que vous égoutterez puis émietterez. Répartissez le bacon également sur chaque pizza. Remplacez la feta par la même quantité de fromage de chèvre.

Pizza aux épinards, à la feta et aux olives
Suivez la recette de base, en mélangeant 50 g d'olives égouttées et hachées à la portion de feta, pour chaque pizza.

Pizza aux épinards à la crème et à l'œuf
Suivez la recette de base. Préchauffez le four à 400°F (200 °C). Réduisez les épinards en purée. Garnissez chaque disque de pâte et enfournez pour 10 min. Sortez la pizza du four. Cassez un œuf au centre de la pâte et enfournez de nouveau pour 5 min.

Pizza aux épinards, à la scarole et aux blettes
Suivez la recette de base, en remplaçant la portion d'épinards par 225 g d'un assortiment de légumes verts (épinards, scarole et blettes).

Variantes

Pizza jardinière

Recette de base p. 60

Pizza jardinière au chou-fleur
Suivez la recette de base. Faites rôtir la moitié d'un chou-fleur défait en bouquets 25 à 30 min dans un four préchauffé à 400°F (200 °C). Ajoutez le chou-fleur aux autres légumes.

Pizza jardinière au pesto
Suivez la recette de base, en remplaçant, pour chaque pizza, la sauce pour pizza classique par 4 c. à s. de pesto (p. 26).

Pizza jardinière sur pâte aux herbes
Suivez la recette de base, en badigeonnant le bord de la pâte à pizza d'huile d'olive. Assaisonnez chaque pizza de ½ c. à c. de sauce italienne.

Pizza jardinière au vinaigre balsamique
Suivez la recette de base, en faisant macérer les légumes tranchés dans un mélange de 2 c. à s. de vinaigre balsamique et 4 c. à s. d'huile d'olive, avant de les faire griller.

Pizza jardinière et printanière
Suivez la recette de base, en remplaçant les aubergines et les courgettes par 12 asperges fines cuites à la vapeur, 50 g de champignons émincés et de 2 à 4 cœurs d'artichauts, égouttés et coupés grossièrement.

Variantes

Pizza au pesto

Recette de base p. 63

Pizza au pesto et aux cœurs d'artichauts
Suivez la recette de base, en ajoutant sur chaque pizza 3 ou 4 cœurs d'artichauts, égouttés et coupés, avant de parsemer de fromage. Remplacez la mozzarella par 4 à 5 c. à c. de fromage de chèvre, si vous le souhaitez.

Pizza au pesto et aux tomates séchées
Suivez la recette de base, en remplaçant sur chaque pizza la tomate fraîche par 3 ou 4 tomates séchées conservées à l'huile d'olive, égouttées et coupées.

Pizza au pesto et aux poivrons grillés
Suivez la recette de base, en ajoutant sur chaque pizza 3 à 4 lamelles de poivrons grillés, coupées en morceaux, avant de parsemer de fromage.

Pizza au pesto et aux aubergines grillées
Suivez la recette de base, en ajoutant sur chaque pizza 3 ou 4 tranches d'aubergine grillée, coupées en dés, juste avant de parsemer de fromage.

Pizza au pesto sur pâte au graines de sésame
Suivez la recette de base, en badigeonnant légèrement le bord de la pâte d'huile d'olive et en la saupoudrant de ½ c. à c. de graines de sésame, avant de la recouvrir de pesto et des autres éléments de garniture.

Variantes

Pizza aux champignons sauvages sur pâte à la farine complète

Recette de base p. 64

Pizza aux champignons sauvages et à la saucisse italienne
Suivez la recette de base. Ajoutez 450 g de saucisse italienne émiettée que vous ferez revenir dans une poêle avec 1 à 2 c. à s. d'huile d'olive.

Pizza aux champignons sauvages et à la sauge
Suivez la recette de base, en remplaçant le romarin séché par ¼ c. à s. de sauge fraîche finement ciselée.

Pizza aux champignons sauvages et à la tapenade
Suivez la recette de base, en parsemant chaque pizza d'une dizaine de petits tas de tapenade.

Pizza aux champignons sauvages et à la crème fraîche
Suivez la recette de base, en remplaçant la mozzarella par 2 à 3 c. à s. de crème fraîche, à répartir par-dessus la préparation aux champignons.

Pizza aux champignons sauvages et au chèvre, sur pâte classique
Suivez la recette de base, en remplaçant la pâte à la farine complète par la pâte à pizza fine (p. 17). Pour chaque pizza, remplacez la mozzarella par du fromage de chèvre. Au sortir du four, parsemez de ½ c. à c. de persil plat haché.

Variantes

Pizza quatre saisons

Recette de base p. 66

Pizza printanière
Suivez la recette de base, en n'utilisant que la garniture de printemps.
Doublez la quantité d'asperges, que vous couperez en tronçons de 2,5 cm
(1 po). Nettoyez et coupez en fine julienne les parties blanche et vert pâle de
900 g de poireaux. Faites cuire les légumes à la vapeur, puis enrobez-les de
3 c. à s. de vinaigrette. Disposez sur chaque pizza ⅓ de cette préparation.

Pizza estivale
Suivez la recette de base, en n'utilisant que la garniture d'été. Garnissez chaque
disque de pâte de 12 cl (½ tasse) de pesto et recouvrez de fines tranches de tomates.

Pizza automnale
Suivez la recette de base, en n'utilisant que la garniture d'automne. Garnissez
chaque disque de pâte de 12 cl (½ tasse) de purée de poivron rouge et recouvrez,
si vous le souhaitez, d'un demi-poivron finement tranché avant d'enfourner.

Pizza hivernale
Suivez la recette de base, en n'utilisant que la garniture d'hiver. Mélangez
675 g de ricotta et 60 g de parmesan, assaisonnez de noix muscade, salez
et poivrez à votre convenance. Déposez ⅓ de cette mixture sur chaque
disque de pâte. Recouvrez, si vous le souhaitez, de 3 ou 4 cœurs d'artichauts
égouttés et coupés en morceaux.

Pizza blanche

Recette de base p. 67

Pizza aux quatre fromages
Suivez la recette de base, en remplaçant les divers fromages par 75 g
de mozzarella râpée, 75 g de fontine râpée, 3 c. à s. de parmesan râpé
et 25 g de pecorino râpé.

Pizza blanche aux olives noires
Suivez la recette de base, en ajoutant sur chaque pizza 50 g d'olives noires
dénoyautées et hachées, par-dessus la préparation aux épinards.

Pizza blanche aux crevettes
Suivez la recette de base, en ajoutant sur chaque pizza 115 g de crevettes
cuites, nettoyées et décortiquées, par-dessus la préparation aux épinards.

Pizza blanche au romarin
Suivez la recette de base, en remplaçant le basilic par 1 c. à c. de romarin
séché écrasé.

Pizza banche sur pâte aux graines de sésame
Suivez la recette de base, en badigeonnant légèrement le bord de chaque
pizza d'un peu d'huile d'olive. Saupoudrez ensuite de ½ c. à c. de graines
de sésame.

Variantes

Pizza à la tapenade

Recette de base p. 69

Pizza à la tapenade et aux légumes grillés
Suivez la recette de base, en garnissant de 75 g d'un assortiment de légumes (poivron rouge, oignon rouge, courgette, aubergine) chaque pizza, avant de parsemer de fromage de chèvre.

Pizza à la tapenade, aux anchois et aux poivrons rouges
Suivez la recette de base, en garnissant chaque pizza de 6 à 8 anchois marinés, séchés et épongés, ainsi que d'un demi-poivron rouge émincé, avant de parsemer de fromage de chèvre.

Pizza à la tapenade et à la mozzarella
Suivez la recette de base, en remplaçant le fromage de chèvre par la même quantité de mozzarella.

Pizza à la tapenade, à la feta et aux tomates cerises
Suivez la recette de base, en garnissant chaque pizza de 6 à 8 tomates cerises. Coupez les tomates dans le sens de la longueur et disposez-les par-dessus la tapenade. Remplacez le chèvre par la même quantité de feta.

Pizza à la tapenade et aux shiitakés
Suivez la recette de base, en garnissant chaque pizza de 115 g de shiitakés. Coupez les champignons en lamelles de 1 cm (⅓ po) et disposez-les sur la tapenade.

Pizza au saumon fumé et aux câpres

Recette de base p. 70

Pizza au maquereau fumé et aux câpres
Suivez la recette de base, en remplaçant le saumon fumé par la même quantité de maquereau fumé.

Pizza à la truite fumée et aux câpres
Suivez la recette de base, en remplaçant le saumon fumé par la même quantité de truite fumée.

Pizza au saumon fumé, aux câpres et à l'oignon rouge
Suivez la recette de base, en garnissant chaque pizza de ½ oignon rouge finement tranché.

Pizza au saumon fumé et aux câpres sur pâte à la farine complète
Suivez la recette de base, en remplaçant la pâte fine classique par la pâte à la farine complète (p. 23).

Pizza au saumon fumé, aux câpres et à la tomate fraîche
Suivez la recette de base, en répartissant entre les trois pizzas 1 tomate fraîche finement tranchée.

Variantes

Pizza à la tomate fraîche

Recette de base p. 73

Pizza à la tomate fraîche et au Saint-Agur®
Suivez la recette de base, en émiettant sur chaque pizza, par-dessus la sauce, 115 g de Saint-Agur®. Sur chaque pizza, remplacez la mozzarella par 4 c. à s. de parmesan râpé que vous parsèmerez de basilic ciselé.

Pizza à la tomate fraîche et aux bocconcini
Suivez la recette de base, en remplaçant sur chaque pizza la mozzarella râpée par 115 g de bocconcini (petites boules de mozzarella) finement tranchés.

Pizza à la tomate fraîche et aux cœurs d'artichauts
Suivez la recette de base, en garnissant chaque pizza de 3 à 4 cœurs d'artichauts, préalablement égouttés et coupés. Disposez les morceaux d'artichauts sur la mozzarella juste avant d'enfourner.

Pizza à la tomate fraîche et au pepperoni
Suivez la recette de base, en garnissant chaque pizza de 6 à 8 tranches de pepperoni, que vous disposerez par-dessus la mozzarella juste avant d'enfourner.

Pizza à la tomate fraîche et à l'origan
Suivez la recette de base, en remplaçant sur chaque pizza les feuilles de basilic frais et le basilic coupé par 4 c. à s. d'origan frais ciselé.

Variantes

Pizza au fromage de chèvre, à la roquette et à la poire

Recette de base p. 74

Pizza au fromage de chèvre, à la roquette, à la poire et aux noix
Suivez la recette de base, en ajoutant sur chaque pizza 2 c. à s. d'un hachis
de noix, à répartir sur les feuilles de roquette.

Pizza au fromage de chèvre, à la roquette et aux olives
Suivez la recette de base, en remplaçant les poires par un hachis d'olives
noires (2 c. à s. par pizza), avant de les recouvrir de roquette.

Pizza au fromage de chèvre, à la roquette et aux champignons sauvages
Suivez la recette de base, en omettant les poires. En lieu et place, garnissez
chaque pizza de 2 champignons émincés, que vous disposerez par-dessus
la préparation au fromage de chèvre.

Pizza au fromage de chèvre, à la roquette, à la poire et au jambon cru
Suivez la recette de base, en disposant par-dessus les poires 2 à 4 tranches
de jambon, déchirées en lamelles, sur chaque pizza.

Pizza au fromage de chèvre, à la roquette, à la poire et au vinaigre balsamique
Suivez la recette de base. Vaporisez chaque pizza à sa sortie du four
de 2 c. à s. de vinaigre balsamique.

Pizzas rustiques et chaussons

Ces savoureuses pizzas relèvent de la cuisine traditionnelle. Généreusement garnies de fromage crémeux et de charcuterie, elles sont confectionnées dans la plupart des familles italiennes.

Calzone aux cœurs d'artichauts et à la ricotta

Pour 4 chaussons.

Veillez à bien sceller les chaussons, afin que la garniture ne suinte pas pendant la cuisson.

Pâte à calzone (p. 18)
225 g de ricotta
75 g de mozzarella, coupée en dés de 1 cm ($\frac{1}{3}$ po)
2 c. à s. de parmesan, finement râpé

75 g de cœurs d'artichauts, égouttés
et coupés en gros dés
2 c. à s. de persil plat, finement ciselé
Poivre noir, fraîchement moulu

Préchauffez le four à 450 °F (230 °C) avec la plaque garnie de papier sulfurisé à mi-hauteur. Pendant le levage de la pâte, préparez la garniture. Dans un grand saladier, mélangez les fromages, les cœurs d'artichauts et le persil. Poivrez à votre convenance.

Confectionnez 4 disques de pâte de taille égale, en suivant les instructions p. 18.

À l'aide d'un pinceau à pâtisserie, humidifiez, pour chaque disque, le bord supérieur et déposez $\frac{1}{4}$ de la garniture sur la moitié inférieure. Repliez la pâte par-dessus la garniture, de sorte que le bord supérieur repose à 1 cm ($\frac{1}{3}$ po) du bord inférieur. Humidifiez le bord supérieur, puis repliez par-dessus le bord inférieur, de manière à fermer hermétiquement le chausson. Pratiquez une incision de 1 cm ($\frac{1}{3}$ po) sur le dessus, pour permettre l'évacuation de la vapeur.

Disposez les chaussons sur la plaque et enfournez à mi-hauteur pour 15 à 20 min ; la garniture doit être chaude et la pâte joliment dorée.

Voir variantes p. 104

Pizza rustique à la charcuterie

Pour 1 pizza-tourte de 23 cm (9 po) de diamètre – 8 personnes.

Cette pizza mêle magnifiquement des fromages fumés et de délicieuses charcuteries.

Pâte à pizza double (p. 19)
1 à 2 saucisses italiennes ou aux herbes, débarrassées de leur peau et emiettées
115 g de pancetta, coupée en dés
1 c. à s. d'huile d'olive extravierge

115 g de mortadelle, coupée en petits dés
225 g de ricotta
50 g de provolone fumé, coupé en dés
50 g de mozzarella, râpée
3 c. à s. de parmesan, finement râpé

2 œufs, légèrement battus
1 gousse d'ail, émincée
2 c. à s. de persil, ciselé
1 pincée de copeaux de piments secs
Poivre noir, fraîchement moulu
Un peu de farine pour le plan de travail

Préchauffez le four à 400°F (200 °C). Pendant le second levage de la pâte, préparez la garniture. Faites frire la chair à saucisse et les dés de pancetta dans l'huile (sortez la pancetta de la poêle en premier, dès qu'elle est légèrement grillée). Égouttez et déposez dans un saladier. Ajoutez la mortadelle, les fromages, les œufs, l'ail et le persil, puis mélangez jusqu'à homogénéité.

Farinez légèrement le plan de travail et abaissez un premier disque de pâte de 30 cm (12 po) de diamètre. Déposez-le dans un moule de 23 cm (9 po) de diamètre ; la pâte doit dépasser de 2,5 cm (1 po). Placez la garniture dessus. Abaissez un second disque de pâte de 23 cm (9 po) de diamètre, que vous disposez sur la garniture. Repliez le bord de l'abaisse inférieure par-dessus l'abaisse supérieure, en pressant pour bien refermer l'appareil. Pratiquez une ou deux incisions sur le dessus pour permettre à la vapeur de s'échapper. Enfournez à mi-hauteur pour 45 min.

Laissez reposer 10 à 15 min, avant de découper en 8 parts égales.

Voir variantes p. 105

Pizza rustique au salami

Pour une pizza-tourte de 23 cm (9 po) de diamètre – 8 personnes.

Le salami apporte à cette préparation une pointe légèrement relevée.

Pâte à pizza double (p. 19)
225 g de ricotta
225 g de salami sec, tranché et coupé en quatre
1 tomate fraîche, coupée en morceaux
50 g de provolone fumé, coupé en dés

50 g de mozzarella, râpée
3 c. à s. de parmesan, finement râpé
2 c. à s. de persil plat, finement ciselé
1 œuf, légèrement battu
Un peu de farine pour le plan de travail

Préchauffez le four à 400 °F (200 °C). Pendant le second levage de la pâte, préparez la garniture. Mélangez tous les ingrédients dans un saladier jusqu'à homogénéité. Divisez la pâte en 2 boules, l'une étant légèrement plus importante que l'autre.

Farinez légèrement le plan de travail et abaissez la boule la plus grosse en un premier disque de pâte de 30 cm (12 po) de diamètre. Déposez-le dans un moule de 23 cm (9 po) de diamètre ; la pâte doit dépasser de 2,5 cm (1 po). Placez la garniture dessus. Abaissez un second disque de pâte de 23 cm (9 po) de diamètre, que vous disposez sur la garniture. Repliez le bord de l'abaisse inférieure par-dessus l'abaisse supérieure, en pressant pour bien refermer l'appareil. Pratiquez une ou deux incisions sur le dessus, pour permettre à la vapeur de s'échapper. Enfournez à mi-hauteur pour 45 min.

Laissez reposer 10 à 15 min avant de découper en 8 parts égales.

Voir variantes p. 106

Panzerotti à la crevette

Pour 4 chaussons.

Plus petits que les calzone, les panzerotti feront de très savoureux en-cas.

Pâte à calzone (p. 18)
675 g de crevettes,
    décortiquées et nettoyées
22,5 cl (1 tasse) de vin blanc sec
3 c. à s. de persil plat,
    finement ciselé

½ c. à c. de sel
60 g de beurre doux
225 g de petits champignons
    blancs, émincés
2 gros oignons blancs, coupés
3 c. à s. de farine blanche

12 cl (½ tasse) de crème
    liquide ou de lait entier
3 c. à s. de fontine, râpée

Préchauffez le four à 450 °F (230 °C) avec la plaque garnie de papier sulfurisé à mi-hauteur. Dans une grande poêle, mettez les crevettes, le vin et le persil. Ajoutez suffisamment d'eau pour recouvrir les crevettes. Au premier bouillon, baissez le feu et laissez mijoter 5 à 6 min ; les crevettes doivent être roses et opaques. À l'aide d'une écumoire, sortez les crevettes, puis faites réduire la sauce jusqu'à la valeur d'un verre de liquide. Passez au chinois et réservez.

Dans une sauteuse, faites fondre 25 g de beurre et faites-y revenir les champignons et les oignons blancs ; les champignons doivent être tendres. Réservez. Dans une autre casserole, faites fondre le reste du beurre. Ajoutez la farine et remuez jusqu'à homogénéité. Ajoutez la sauce réduite en fouettant et poursuivez la cuisson 1 min. Ajoutez ensuite la crème, les crevettes, les champignons et le fromage. Veillez à ce que le fromage soit bien fondu.

Confectionnez 4 disques de pâte, en suivant les instructions p. 18.

À l'aide d'un pinceau à pâtisserie, humidifiez, pour chaque disque, le bord supérieur et déposez ¼ de la garniture sur sa moitié inférieure (un surplus de cette préparation pourra être servi

en accompagnement des panzerotti, en guise de sauce). Repliez la pâte par-dessus la garniture, de sorte que le bord supérieur repose à 1 cm (⅓ po) du bord inférieur. Humidifiez le bord supérieur, puis repliez par-dessus le bord inférieur, de manière à fermer hermétiquement le chausson. Pratiquez une incision de 1 cm (⅓ po) sur le dessus, pour permettre l'évacuation de la vapeur.

Disposez les chaussons sur la plaque à mi-hauteur du four pour 15 à 20 min ; la garniture doit être chaude et la pâte joliment dorée.

Voir variantes p. 107

Calzone aux brocolis, à l'asiago et aux pignons de pin

Pour 4 chaussons.

Une pizza à haute valeur nutritive, grâce à la présence de pignons de pin et des brocolis.

Pâte à calzone (p. 18)
2 branches de brocolis (pour les bouquets),
    cuits à la vapeur (ou 275 g de bouquets
    de brocolis surgelés, cuits et bien égouttés)
225 g de ricotta

50 g de mozzarella, râpée
3 c. à s. d'asiago, finement râpé
40 g de pignons de pin, grillés et hachés
Sel et poivre noir, fraîchement moulu
1 pincée de noix muscade en poudre

Préchauffez le four à 450 °F (230 °C) avec la plaque garnie de papier sulfurisé à mi-hauteur. Pendant le levage de la pâte, préparez la garniture. Hachez les bouquets de brocolis que vous mélangerez avec les fromages et les pignons de pin. Salez et poivrez à votre convenance. Assaisonnez de noix muscade.

Confectionnez 4 disques de pâte de taille égale, en suivant les instructions p. 18.

À l'aide d'un pinceau à pâtisserie, humidifiez, pour chaque disque, le bord supérieur et déposez ¼ de la garniture sur la moitié inférieure. Repliez la pâte par-dessus la garniture, de sorte que le bord supérieur repose à 1 cm (⅓ po) du bord inférieur. Humidifiez le bord supérieur, puis repliez par-dessus le bord inférieur, de manière à fermer hermétiquement le chausson. Pratiquez une incision de 1 cm (⅓ po) sur le dessus pour permettre l'évacuation de la vapeur. Disposez les chaussons sur la plaque et enfournez à mi-hauteur pour 15 à 20 min ; la garniture doit être chaude et la pâte joliment dorée.

Voir variantes p. 108

Stromboli à la mozzarella et au jambon

Pour 2 rouleaux – 6 à 8 personnes.

Le stromboli – une pizza roulée – tire son appellation du volcan du même nom, qu'il évoque par la manière dont le fromage suinte de la pâte pendant la cuisson.

Pâte à calzone (p. 18)
450 g de mozzarella, râpée
225 g de jambon, découpé en fines tranches

2 c. à s. de beurre doux, fondu
2 c. à s. de parmesan, finement râpé

Préchauffez le four à 375 °F (190 °C) avec la plaque garnie de papier sulfurisé à mi-hauteur. Repétrissez la pâte. À l'aide d'un couteau tranchant, divisez-la en 2 parts égales. Façonnez chaque part en boule et abaissez 2 rectangles de pâte de 30 × 36 cm (12 x 14 po).

Étalez la moitié de la mozzarella râpée sur le premier rectangle, en prenant soin de laisser une marge de 1 cm (⅓ po) sur le pourtour. Recouvrez de la moitié du jambon. En commençant par l'un des côtés les plus larges, roulez la pâte en un long cylindre très serré. Pincez la pâte à la jointure et repliez les extrémités. Répétez l'opération avec la seconde boule de pâte.

Badigeonnez chaque stromboli de 1 c. à s. de beurre fondu et parsemez de 1 c. à s. de parmesan rapé. Enfournez pour 20 à 25 min ; la pâte doit être joliment dorée.

Laissez refroidir sur une grille 5 min. Découpez des parts en diagonale et servez.

Voir variantes p. 109

Piadina à la fontine et au basilic

Pour 8 pains plats – 8 personnes.

La piadina est un pain plat cuit rapidement dans une poêle avec une garniture simple.

400 g de farine blanche
1 c. à c. de sel
½ c. à c. de levure chimique
4 c. à s d'huile d'olive extravierge

225 g de fontine, râpée
16 feuilles de basilic frais, grossièrement
    déchirées
Un peu de farine pour le plan de travail

Préparation de la pâte : dans le bol du robot ménager, mélangez la farine, le sel et la levure chimique. Ajoutez 22,5 cl (1 tasse) d'eau chaude et l'huile. Équipez le robot des crochets pétrisseurs
et faites tourner l'appareil à vitesse minimale pendant 1 à 2 min ; la pâte doit être souple et élastique. Pétrissez de nouveau la pâte à la main 1 à 2 min sur un plan de travail légèrement fariné. Façonnez-la en boule et déposez-la dans un saladier légèrement huilé. Couvrez d'une serviette en papier et laissez reposer 30 à 60 min.

À l'aide d'un couteau tranchant, découpez la pâte en 8 parts égales que vous façonnerez chacune en boule. Prenez l'une des boules (les autres resteront couvertes dans le saladier) et abaissez-la en un disque de 20 cm (8 po) de diamètre. Répétez l'opération pour les autres boules de pâte et empilez les abaisses en les séparant par des feuilles de papier sulfurisé.

Faites chauffer une poêle antiadhésive à feu moyen. Déposez-y une abaisse et faites-la cuire environ 30 secondes ; la galette doit être sèche sur le bord et joliment dorée. Faites-la cuire sur l'autre face, puis sortez-la du feu et garnissez-la de ⅛ de la fontine et de 2 feuilles de basilic. Répétez l'opération pour les autres disques de pâte.

Voir variantes p. 110

Calzone au crabe et au persil

Pour 4 chaussons.

Cette savoureuse pizza, au fromage crémeux et au crabe, fera sensation auprès de vos invités. Mais elle peut aussi se déguster au cours d'une soirée ordinaire !

Pâte à calzone (p. 18)
115 g de mozzarella râpée
225 g de fromage à tartiner, ramolli
225 g de crabe

4 gros oignons blancs, finement émincés
1 gousse d'ail, finement hachée
2 c. à s. de persil plat, finement ciselé

Préchauffez le four à 450 °F (230 °C) avec la plaque garnie de papier sulfurisé à mi-hauteur. Confectionnez 4 disques de pâte, en suivant les instructions p. 18.

Dans un saladier, mélangez les fromages, le crabe, les oignons, l'ail et le persil jusqu'à homogénéité. À l'aide d'un pinceau à pâtisserie, humidifiez, pour chaque disque, le bord supérieur et déposez 4 c. à s. de garniture sur la moitié inférieure. Repliez la pâte par-dessus la garniture, de sorte que le bord supérieur repose à 1 cm (⅓ po) du bord inférieur. Humidifiez le bord supérieur, puis repliez par-dessus le bord inférieur, de manière à fermer hermétiquement le chausson. Pratiquez une incision de 1 cm (⅓ po) sur le dessus, pour permettre l'évacuation de la vapeur.

Disposez les chaussons sur la plaque et enfournez à mi-hauteur pour 15 à 20 min ; la garniture doit être chaude et la pâte joliment dorée.

Voir variantes p. 111

Pizza rustique au cheddar et au bacon

Pour 1 pizza-tourte de 23 cm (9 po) de diamètre – 8 personnes.

Très proche de la «deep-dish pizza» de Chicago, cette pizza-tourte se distingue incontestablement par son petit accent américain !

Pâte à pizza double (p. 19)
225 g de ricotta
225 g de bacon, frit et émietté
50 g de cheddar, découpé en dés

25 g de mozzarella, râpée
25 g de cheddar, râpé
1 œuf, légèrement battu

Préchauffez le four à 400 °F (200 °C). Pendant le second levage de la pâte, préparez la garniture. Mélangez tous les ingrédients dans un saladier jusqu'à homogénéité. Divisez la pâte en 2 boules, l'une étant légèrement plus importante que l'autre.

Farinez légèrement le plan de travail et abaissez la boule la plus grosse en un premier disque de pâte de 30 cm (12 po) de diamètre. Déposez-le dans un moule de 23 cm (9 po) de diamètre ; la pâte doit dépasser de 2,5 cm (1 po). Placez la garniture dessus. Abaissez un second disque de pâte de 23 cm (9 po) de diamètre, que vous disposez sur la garniture. Repliez les bords de l'abaisse inférieure par-dessus l'abaisse supérieure, en pressant pour bien refermer l'appareil. Pratiquez une ou deux incisions sur le dessus, pour permettre à la vapeur de s'échapper. Enfournez à mi-hauteur pour 45 min.

Laissez reposer 10 à 15 min avant de découper en 8 parts égales.

Voir variantes p. 112

Calzone à la saucisse et aux champignons

Pour 4 chaussons.

Cette pizza est parfaite pour les soirées d'hiver entre gastronomes.

Pâte à calzone (p. 18)
Sauce pour pizza (réduire
    de moitié les proportions
    de la recette p. 25)
115 g de mozzarella râpée

115 g de champignons,
    émincés
350 g de saucisse italienne
    (ou aux herbes), défaite
    et émiettée

1 c. à s. d'huile d'olive
    extravierge
2 c. à s. de beurre doux, fondu
4 c. à c. de parmesan, râpé

Préchauffez le four à 450 °F (230 °C) avec la plaque garnie de papier sulfurisé à mi-hauteur. Pendant le levage de la pâte, préparez la garniture. Faites frire la chair à saucisse émiettée et les champignons dans l'huile 5 à 6 min. Mélangez à la sauce pour pizza.

Confectionnez 4 disques de pâte, en suivant les instructions p. 18.

À l'aide d'un pinceau à pâtisserie, humidifiez, sur chaque disque, le bord supérieur et déposez ¼ de la garniture sur la moitié inférieure. Parsemez ¼ de la mozzarella râpée. Repliez la pâte par-dessus la garniture, de sorte que le bord supérieur repose à 1 cm (⅓ po) du bord inférieur. Humidifiez le bord supérieur, puis repliez le bord inférieur par-dessus, de manière à fermer hermétiquement le chausson. Pratiquez une incision de 1 cm (⅓ po) sur le dessus, pour permettre l'évacuation de la vapeur. Badigeonnez le dessus de beurre fondu et parsemez chaque chausson de 1 c. à c. de parmesan râpé. Enfournez à mi-hauteur pour 15 à 20 min ; la garniture doit être chaude et la pâte joliment dorée.

Voir variantes p. 113

Variantes

Calzone aux cœurs d'artichauts et à la ricotta

Recette de base p. 87

Calzone aux cœurs d'artichauts et aux quatre fromages
Suivez la recette de base, en n'utilisant que 25 g de mozzarella découpée
en dés, que vous compléterez par 25 g de fontina, également coupée en dés.

Calzone aux cœurs d'artichauts, à la ricotta et à la pancetta
Suivez la recette de base, en ajoutant à la garniture 100 g de pancetta
coupée en dés et frite.

Calzone aux cœurs d'artichauts, au poivre et à l'ail
Suivez la recette de base, en ajoutant à la garniture 1 gousse d'ail
et 1 pincée de copeaux de piments séchés.

Calzone aux cœurs d'artichauts et au basilic
Suivez la recette de base, en remplaçant le persil par du basilic frais.

Calzone aux cœurs d'artichauts et aux clams
Suivez la recette de base, en ajoutant à la garniture 115 g de clams cuits
et décortiqués.

Variantes

Pizza rustique à la charcuterie

Recette de base p. 88

Pizza rustique au jambon de parme et à la mortadelle
Suivez la recette de base, en remplaçant la pancetta par la même quantité de jambon de Parme, découpé en petits morceaux.

Pizza rustique au jambon et à la mortadelle
Suivez la recette de base, en remplaçant la pancetta par la même quantité de jambon cru, découpé en petits morceaux.

Pizza rustique à la saucisse italienne
Suivez la recette de base, en remplaçant la pancetta par 1 à 2 saucisses supplémentaires.

Pizza rustique à la charcuterie, à l'ail et au piment
Suivez la recette de base, en faisant revenir ½ piment rouge coupé en dés avec la saucisse et la pancetta. Ajoutez aussi à la garniture 1 gousse d'ail supplémentaire, finement hachée.

Pizza rustique à la pancetta et aux cinq fromages
Suivez la recette de base, en ajoutant à la garniture 25 g de pecorino râpé.

Pizza rustique au salami

Recette de base p. 91

Pizza rustique au bœuf haché

Suivez la recette de base, en remplaçant le salami par 225 g de bœuf maigre haché, revenu et égoutté.

Pizza rustique aux merguez

Suivez la recette de base, en remplaçant le salami par 225 g de merguez, débarrassées de leur enveloppe, leur chair étant émiettée, cuite et égouttée.

Pizza rustique aux légumes grillés

Suivez la recette de base, en remplaçant le salami par 250 g d'un assortiment de légumes grillés.

Pizza rustique aux épinards

Suivez la recette de base, en remplaçant le salami par 450 g de petites pousses d'épinards cuites à la vapeur. Ajoutez à la garniture 1 gousse d'ail finement hachée.

Pizza rustique au quinoa

Suivez la recette de base, en remplaçant le salami par 150 g de quinoa cuit. Remplacez le persil plat par de la coriandre fraîche et ajoutez à la garniture 1 à 2 oignons blancs finement émincés.

Variantes

Panzerotti à la crevette

Recette de base p. 92

Panzerotti à la crevette et au basilic
Suivez la recette de base, en ajoutant à la garniture 2 c. à s. de basilic frais
finement ciselé.

Panzerotti à la crevette et aux asperges
Suivez la recette de base, en ajoutant à la garniture 3 à 4 asperges cuites
à la vapeur et coupées en tronçons.

Panzerotti à la crevette et au crabe
Suivez la recette de base, en remplaçant la moitié des crevettes par la même
quantité de chair de crabe.

Panzerotti à la crevette et aux coquilles Saint-Jacques
Suivez la recette de base, en remplaçant la moitié des crevettes par la même
quantité de petites coquilles Saint-Jacques sautées.

Panzerotti à la crevette et aux clams
Suivez la recette de base, en remplaçant la moitié des crevettes par la même
quantité de clams cuits et décortiqués.

Variantes

Calzone aux brocolis, à l'asiago et aux pignons de pin

Recette de base p. 95

Calzone aux brocolis, au parmesan et aux pignons de pin
Suivez la recette de base, en remplaçant l'asagio par la même quantité de parmesan.

Calzone aux épinards, au parmesan et aux pignons de pin
Suivez la recette de base, en remplaçant les brocolis par 450 g de jeunes pousses d'épinards équeutées, cuites, égouttées et hachées.

Calzone aux brocolis, à l'asiago et à l'ail
Suivez la recette de base, en remplaçant les pignons de pin par 1 gousse d'ail écrasée.

Calzone aux brocolis et aux tomates séchées
Suivez la recette de base, en remplaçant les pignons de pin par 2 à 3 tomates séchées et conservées à l'huile d'olive, que vous aurez préalablement égouttées et coupées en morceaux.

Calzone aux brocolis et aux champignons
Suivez la recette de base, en remplaçant les pignons de pin par 115 g de petits champignons émincés, que vous aurez préalablement fait sauter 4 à 5 min dans 15 g de beurre.

Variantes

Stromboli à la mozzarella et au jambon

Recette de base p. 96

Stromboli à la mozzarella et au pesto
Suivez la recette de base, en omettant le jambon. Garnissez chaque rectangle de pâte de ¼ de la préparation au pesto (p. 26). Remplacez la mozzarella par 450 g de bocconcini (petites boules de mozzarella), que vous couperez grossièrement avant de les disposer par-dessus le pesto.

Stromboli à la mozzarella et au pepperoni
Suivez la recette de base, en remplaçant le jambon cru par la même quantité de pepperoni.

Stromboli aux trois fromages
Suivez la recette de base, en remplaçant 225 g de mozzarella par 50 g de provolone râpé et 50 g de fontine râpée.

Stromboli à la mozzarella et à l'ail
Suivez la recette de base, en tartinant chaque rectangle de pâte de 2 c. à s. de purée d'ail rôti, avant de parsemer de fromage et de champignons.

Stromboli à la mozzarella et à la tomate
Suivez la recette de base, en ajoutant 1 petite tomate finement tranchée à chaque stromboli avant de le rouler.

Piadina à la fontine et au basilic

Recette de base p. 98

Piadina à la fontine, aux brocolis et au basilic
Suivez la recette de base, en ajoutant à la garniture 350 g de bouquets
de brocolis, cuits à la vapeur et émincés.

Piadina à la fontine, à la tomate et au basilic
Suivez la recette de base, en ajoutant à la garniture de chaque piadina
1 à 2 tranches de tomate.

Piadina au fromage crémeux et aux trois poivres
Suivez la recette de base, en remplaçant la fontine par la même quantité
d'un autre fromage crémeux. Omettez le basilic et assaisonnez chaque
préparation de poivres noir, blanc et rose.

Piadina à la fontine, au jambon et au basilic
Suivez la recette de base, en ajoutant à chaque piadina 1 à 2 tranches
de jambon cuit.

Piadina à la fontine, aux épinards et à la noix muscade
Suivez la recette de base, en omettant le basilic. Ajoutez à chaque piadina
plusieurs jeunes pousses d'épinards, ainsi que 1 pincée de noix muscade.

Variantes

Calzone au crabe et au persil

Recette de base p. 99

Calzone au crabe et à la ciboulette
Suivez la recette de base, en remplaçant le persil par 2 c. à s. de ciboulette fraîchement ciselée.

Calzone au crabe et au maïs doux
Suivez la recette de base, en ajoutant à la garniture 75 g de maïs.

Calzone au crabe et aux coquilles Saint-Jacques
Suivez la recette de base, en utilisant seulement 115 g de chair de crabe que vous compléterez avec 12 petites coquilles Saint-Jacques cuites.

Calzone au crabe et au basilic thaï
Suivez la recette de base, en remplaçant le persil par 2 c. à s. de basilic thaï frais finement ciselé.

Calzone au crabe et aux moules
Suivez la recette de base, en utilisant seulement 175 g de chair de crabe que vous compléterez par 12 petites moules cuites.

Pizza rustique au cheddar et au bacon

Recette de base p. 101

Pizza rustique au cheddar et au bacon sur pâte aux herbes
Suivez la recette de base, en ajoutant 1 c. à c. d'herbes italiennes à la farine, avant de faire la pâte.

Pizza rustique au gouda et au jambon de Parme
Suivez la recette de base, en remplaçant le cheddar par 115 g de gouda et le bacon par la même quantité de jambon de Parme, déchiré en lamelles.

Pizza rustique au cheddar, au bacon et à la tomate
Suivez la recette de base, en ajoutant à la garniture 1 tomate fraîche coupée en morceaux.

Pizza rustique au cheddar, au bacon et aux petits pois
Suivez la recette de base, en joutant à la garniture 60 g de petits pois surgelés.

Pizza rustique au provolone et à la pancetta
Suivez la recette de base, en remplaçant le cheddar par 115 g de provolone râpé et le bacon par la même quantité de pancetta, découpée en dés et frite.

Calzone à la saucisse et aux champignons

Recette de base p. 102

Calzone à la saucisse, aux champignons et au poivron vert
Suivez la recette de base, en ajoutant à la saucisse et aux champignons
1 poivron vert épépiné et finement tranché.

Calzone à la saucisse, aux champignons et au fromage frais à l'ail et aux fines herbes
Suivez la recette de base, en remplaçant la mozzarella par 225 g de fromage
frais à l'ail et aux fines herbes que vous disposerez en petits tas sur la garniture
avant de refermer le chausson.

Calzone à la saucisse, aux champignons et à la tomate séchée
Suivez la recette de base, en ajoutant à la garniture et à la sauce 2 tomates
séchées et conservées à l'huile d'olive, égouttées et coupées en lamelles.

Calzone au salami de dinde et aux champignons
Suivez la recette de base, en remplaçant la saucisse par 3 à 4 tranches
de salami de dinde ou de dinde fumée, que vous disposerez sur la pâte
avant de la garnir de la sauce et de la préparation aux champignons.

Calzone au tofu fumé et aux champignons
Suivez la recette de base, en remplaçant la saucisse par la même quantité
de tofu fumé émietté.

Pizzas du monde

Dans tous les endroits où la pizza est appréciée,

les amateurs ont expérimenté des garnitures

originales, souvent à base de produits locaux

ou respectueuses des goûts et des traditions du cru.

Il existe ainsi de par le monde diverses spécialités

de pizza, comme la pizza hawaïenne ou la pizza

grecque, qui évoquent des arômes particuliers

associés à des endroits bien spécifiques.

Pizza hawaiienne

Pour 2 disques de 30 cm (12 po) de diamètre – 6 à 8 personnes.

Cette pizza, connue pour sa garniture au jambon et à l'ananas, est très appréciée des enfants.

Pâte à pizza napolitaine (p. 20)
Sauce pour pizza (p. 25)
350 g de mozzarella, râpée
200 g d'ananas en conserve, égouttés

et épongés
150 g de jambon cuit, coupé en dés
Un peu de farine ou de fécule de maïs
pour la pelle

Préparez 2 pâtes à pizza circulaires en suivant la recette p. 20. Préchauffez le four à 465 °F (240 °C) avec la pierre de cuisson (ou la plaque) en position basse.

Chemisez légèrement la pelle à pizza de farine ou de fécule de maïs. Déposez-y un disque de pâte que vous garnirez de la moitié de la sauce, en prenant soin de laisser libre une marge de 1 cm (⅓ po) sur le pourtour.

Parsemez de 175 g de mozzarella râpée et disposez par-dessus la moitié de l'ananas et du jambon. Enfournez pour 4 à 6 min ; le fromage doit être fondu, et la pâte gonflée sur le bord et croquante sur le dessous.

Sortez la pizza du four. Répétez l'opération avec l'autre disque de pâte.

Voir variantes p. 132

Pizza grecque

Pour 2 disques de 30 cm (12 po) de diamètre – 6 à 8 personnes.

Chaque bouchée de cette pizza regorge des classiques arômes traditionnellement associés à la Grèce – la feta, les olives et la tomate.

Pâte à pizza napolitaine (p. 20)
1 c. à s. d'huile d'olive extravierge
1 petit oignon rouge, finement émincé
1 gousse d'ail, finement émincée
3 grosses tomates fraîches, tranchées

2 c. à c. d'origan séché, écrasé
50 g d'olives noires, dénoyautées et hachées
350 g de feta, émiettée
Un peu de farine ou de fécule de maïs
    pour la pelle

Préparez 2 pâtes à pizza circulaires en suivant la recette p. 20. Préchauffez le four à 465 °F (240 °C) avec la pierre de cuisson (ou la plaque) en position basse.

Préparation de la garniture : dans une poêle, faites chauffer l'huile d'olive. Ajoutez les oignons et l'ail, et faites cuire 2 à 3 min ; l'oignon doit être tendre.

Chemisez légèrement la pelle à pizza de farine ou de fécule de maïs. Déposez-y un disque de pâte que vous garnirez de la moitié de la préparation à l'oignon, en prenant soin de laisser libre une marge de 1 cm (⅓ po) sur le pourtour. Garnissez la pizza de la moitié des tranches de tomate et saupoudrez-la de 1 c. à c. d'origan. Parsemez ensuite de la moitié du hachis d'olives et de la moitié de la feta émiettée. Enfournez pour 4 à 6 min ; le fromage doit être fondu, et la pâte gonflée sur le bord et croquante sur le dessous.

Sortez la pizza du four. Répétez l'opération avec l'autre disque de pâte.

Voir variantes p. 133

Pizza méditerranéenne

Pour 2 disques de 30 cm (12 po) de diamètre – 6 à 8 personnes.

Mêlant crevettes, champignons frais et tomates confites, cette pizza offre une délicieuse farandole de saveurs.

Pâte à pizza napolitaine (p. 20)
Sauce pour pizza (p. 25)
350 g de mozzarella, râpée
450 g de crevettes, cuites et décortiquées

115 g de champignons blancs, émincés
6 à 8 tomates séchées et conservées à l'huile d'olive, égouttées et coupées en lamelles
Un peu de farine ou de fécule de maïs pour la pelle

Préparez 2 pâtes à pizza circulaires en suivant la recette p. 20. Préchauffez le four à 465 °F (240 °C) avec la pierre de cuisson (ou la plaque) en position basse.

Chemisez légèrement la pelle à pizza de farine ou de fécule de maïs. Déposez-y un disque de pâte que vous garnirez de la moitié de la sauce pour pizza, en prenant soin de laisser libre une marge de 1 cm (1/3 po) sur le pourtour. Disposez la moitié de la mozzarella par-dessus la sauce. Ajoutez la moitié des crevettes, des champignons et des tomates. Enfournez pour 4 à 6 min ; le fromage doit être fondu, et la pâte gonflée sur le bord et croquante sur le dessous.

Sortez la pizza du four. Répétez l'opération avec l'autre disque de pâte.

Voir variantes p. 134

Pizza gourmande de Brooklyn

Pour 2 disques de 30 cm (12 po) de diamètre – 6 à 8 personnes.

L'authentique pizza gourmande de Brooklyn est cuite dans un four en brique et coupée en morceaux suffisamment gros pour être pliés en deux.

Pâte à pizza napolitaine (p. 20)
175 g de mozzarella allégée,
    finement tranchée
175 g mozzarella, finement tranchée
1 c. à c. d'origan séché, émietté
Poivre noir, fraîchement moulu

225 g de tomates en conserve, égouttées
    et grossièrement concassées
3 c. à s. d'huile d'olive extravierge
½ c. à c. de basilic séché ou 6 à 8 feuilles
    de basilic frais
Un peu de farine ou de fécule de maïs
    pour la pelle

Préparez 2 pâtes à pizza circulaires en suivant la recette p. 20. Préchauffez le four à 465 °F (240 °C) avec la pierre de cuisson (ou la plaque) en position basse.

Chemisez légèrement la pelle à pizza de farine ou de fécule de maïs. Déposez-y un disque de pâte que vous garnirez de la moitié de la mozzarella, en prenant soin de panacher à parts égales les deux variétés. Saupoudrez d'origan et poivrez à votre convenance. Étalez ensuite la moitié des tomates concassées par-dessus le fromage, en laissant un peu d'espace entre les morceaux. Arrosez de 4 c. à s. d'huile d'olive. Enfournez pour 4 à 6 min ; le fromage doit être fondu, et la pâte gonflée sur le bord et croquante sur le dessous.

Sortez la pizza du four et saupoudrez de la moitié du basilic. Répétez l'opération avec l'autre disque de pâte.

Voir variantes p. 135

Pizza turque

Pour 16 disques de 15 cm (6 po) de diamètre – 6 à 8 personnes.

Inspirée du lahmacun (plat traditionnel turc), cette pizza est à base des mêmes ingrédients savoureux. La différence réside dans sa présentation, le lahmacun étant roulé ou plié.

Pâte à pizza turque (p. 21)
1 c. à s. d'huile d'olive
½ oignon rouge, finement émincé
450 g d'agneau haché
225 g de tomates entières en conserve
2 c. à s. de concentré de tomate
4 c. à s. de persil plat, finement ciselé
3 c. à s. de pignons de pin, grillés

¼ c. à c. de cannelle en poudre
⅛ c. à c. de quatre-épices en poudre
1 belle pincée de girofle en poudre
1 pincée de piments rouges émiettés
½ c. à c. de sel
½ c. à c. de poivre noir, fraîchement moulu
1 c. à s. de jus de citron frais
110 g de beurre doux, fondu

Suivez la recette p. 21. Pendant le levage de la pâte, préparez la garniture à l'agneau. Dans une grande poêle, faites chauffer 1 c. à s. d'huile d'olive. Faites-y revenir les oignons 2 min ; ils doivent être translucides. Ajoutez l'agneau haché, remuez et poursuivez la cuisson jusqu'à ce que la viande soit bien cuite. Ajoutez les tomates, le concentré de tomate, le persil, les pignons de pin et les herbes et condiments. Laissez mijoter 10 à 15 min, puis arrosez de jus de citron.

Préchauffez le four à 465 °F (240 °C) avec la pierre de cuisson (ou la plaque) en position basse. Divisez la pâte en 16 parts égales de la taille d'un œuf. Étalez chaque portion de pâte en un disque de 15 cm (6 po) de diamètre et de 3 mm d'épaisseur. Disposez les abaisses sur une plaque à pâtisserie légèrement huilée et laissez reposer 10 min. Garnissez chaque disque de 2 c. à s. de la garniture à l'agneau et arrosez du beurre fondu restant. Enfournez pour 8 à 10 min ; les bords doivent être joliment dorés.

Voir variantes p. 136

Pizza de Montréal

Pour 2 disques de 30 cm (12 po) de diamètre – 6 à 8 personnes.

La viande fumée de Montréal est célèbre et très appréciée outre-Atlantique. Sa texture et sa saveur sont très proches de celles du pastrami, plus facile à se procurer en France.

Pâte à pizza napolitaine (p. 20)
Sauce pour pizza (p. 25)
350 g de mozzarella, râpée

100 g de viande fumée de Montréal
(ou de pastrami) tranchée et coupée
en morceaux de 2,5 cm (1 po) de côté

Préparez 2 pâtes à pizza circulaires en suivant la recette p. 20. Préchauffez le four à 465 °F (240 °C) avec la pierre de cuisson (ou la plaque) en position basse.

Chemisez légèrement la pelle à pizza de farine ou de fécule de maïs. Déposez-y un disque de pâte que vous garnirez de la moitié de la sauce pour pizza. Garnissez de 175 g de mozzarella râpée et disposez par-dessus le fromage la moitié de la viande fumée (ou du pastrami). Enfournez pour 5 à 7 min ; le fromage doit être fondu, et la pâte gonflée sur le bord et croquante sur le dessous.

Sortez la pizza du four et saupoudrez de la moitié du basilic. Répétez l'opération avec l'autre disque de pâte

Voir variantes p. 137

Pizza de Louisiane

Pour 2 disques de 30 cm (12 po) de diamètre – 6 à 8 personnes.

Une pizza généreuse, où se mêlent la tendresse du blanc de poulet, la douceur des épis de maïs et les arômes enlevés de la ricotta et de la ciboulette.

Pâte à pizza napolitaine (p. 20)
Sauce pour pizza (p. 25)
15 g de beurre doux
1 poivron rouge, coupé en dés
1 poivron vert, coupé en dés

75 g de grains de maïs (surgelés ou en conserve)
1 blanc de poulet, cuit et coupé en dés
Sel et poivre noir, fraîchement moulu
115 g de ricotta
2 c. à s. de ciboulette fraîche, finement ciselée

Préparez 2 pâtes à pizza circulaires en suivant la recette p. 20. Préchauffez le four à 465 °F (240 °C) avec la pierre de cuisson (ou la plaque) en position basse.

Préparation de la garniture : dans une grande poêle, faites fondre le beurre à feu moyen. Faites-y revenir les poivrons 1 à 2 min ; ils doivent être tendres. Salez et poivrez à votre convenance. Hors du feu, mélangez les poivrons au poulet et au maïs. Rectifiez l'assaisonnement. Dans un petit saladier, mélangez la ricotta et la ciboulette. Chemisez légèrement la pelle à pizza de farine ou de fécule de maïs. Déposez-y un disque de pâte que vous garnirez de la moitié de la sauce pour pizza. Parsemez de la moitié de la préparation au poulet et au maïs. Parsemez de la moitié du mélange de ricotta et de ciboulette. Enfournez pour 5 à 7 min ; le fromage doit être fondu, et la pâte gonflée sur le bord et croquante sur le dessous.

Sortez la pizza du four. Répétez l'opération avec l'autre disque de pâte.

Voir variantes p. 138

Pizza mexicaine

Pour 2 disques de 30 cm (12 po) de diamètre – 6 à 8 personnes.

Voici une pizza épicée qui réchauffera à point une soirée fraîche !

Pâte à pizza napolitaine (p. 20)
Sauce pour pizza (p. 25)
350 g de mozzarella, râpée
225 g de saucisse épicée, coupée en deux
    et tranchée (en forme de demi-lune)
225 g de pepperoni
½ oignon doux, finement tranché

1 petit poivron vert, épépiné
    et finement tranché
1 à 2 piments forts, épépinés
    et finement tranchés
1 tomate fraîche, tranchée
Un peu de farine ou de fécule de maïs
    pour la pelle

Préparez 2 pâtes à pizza circulaires en suivant la recette p. 20. Préchauffez le four à 465 °F (240 °C) avec la pierre de cuisson (ou la plaque) en position basse.

Chemisez légèrement la pelle à pizza de farine ou de fécule de maïs. Déposez-y un disque de pâte que vous garnirez de la moitié de la sauce pour pizza. Disposez par-dessus la moitié de la mozzarella, que vous recouvrirez ensuite de la moitié de la saucisse, du pepperoni, des oignons, des poivrons et des tranches de tomate. Enfournez pour 5 à 7 min ; le fromage doit être fondu, et la pâte gonflée sur le bord et croquante sur le dessous.

Sortez la pizza du four. Répétez l'opération avec l'autre disque de pâte.

Voir variantes p. 139

Deep-dish pizza

Pour 1 disque de 23 cm (9 po) de diamètre – 3 ou 4 personnes.

La première deep-dish pizza aurait été créé au restaurant Uno, de Chicago, dans les années 1940. Depuis cette époque, son succès ne s'est jamais démenti.

Pâte à deep-dish pizza (1/3 des proportions
    de la recette p. 22)
175 g de mozzarella, tranchée
450 g de tomates italiennes, en conserve,
    égouttées et grossièrement concassées
2 gousses d'ail, finement émincées

1/2 c. à c. de basilic séché
1/2 c. à c. d'origan séché
Sel et poivre noir, fraîchement moulu
3 c. à s. de parmesan, finement râpé
1 à 2 c. à s. d'huile d'olive extravierge

Préchauffez le four à 465 °F (240 °C). Confectionnez une pâte en suivant les instructions p. 22, et façonnez-la en boule. Farinez légèrement la pâte et, à l'aide d'un rouleau à pâtisserie, abaissez-la en un disque de 27 cm (11 po) de diamètre et de 3 mm d'épaisseur. Huilez légèrement un moule à gâteau de 23 cm (9 po) de diamètre et de 5 cm (2 po) de profondeur. Déposez-y la pâte, de sorte que son pourtour épouse la paroi du moule.

Disposez les tranches de mozzarella, sans les faire se chevaucher, sur le fond de pâte. Répartissez les tranches de tomate par-dessus le fromage, puis saupoudrez d'ail et d'autres condiments. Parsemez de parmesan râpé et arrosez d'huile d'olive, en procédant dans le sens des aiguilles d'une montre.

Enfournez pour 35 à 40 min ; la garniture doit être chaude et la pâte gonflée et joliment dorée.

Voir variantes p. 140

Pizza napolitaine

Pour 2 disques de 30 cm (12 po) de diamètre – 6 à 8 personnes.

Pour une pizza la plus authentique possible, préparez la pâte à la main et faites votre sauce à base de tomates de San Marzano. Et tout sera parfait... si vous pouvez assurer la cuisson dans un four à bois !

1 pâte à pizza napolitaine (p. 20)
Sauce pour pizza, à base de tomates
   de San Marzano (p. 25)
2 gousses d'ail, finement émincées

1 pincée d'origan séché
2 c. à s. d'huile d'olive extravierge
Un peu de farine ou de fécule de maïs
   pour la pelle

Préparez 2 pâtes à pizza circulaires en suivant la recette p. 20. Préchauffez le four à 465 °F (240 °C) avec la pierre de cuisson (ou la plaque) en position basse.

Chemisez légèrement la pelle à pizza de farine ou de fécule de maïs. Déposez-y un disque de pâte que vous garnirez de la moitié de la sauce pour pizza. Parsemez d'ail et de la moitié de l'origan. Arrosez la pizza de 1 c. à s. d'huile d'olive, en procédant dans le sens des aiguilles d'une montre. Enfournez pour 4 à 6 min ; le fromage doit être fondu, et la pâte gonflée sur le bord et croquante sur le dessous.

Sortez la pizza du four. Répétez l'opération avec l'autre disque de pâte.

Voir variantes p. 141

Variantes

Pizza hawaiienne

Recette de base p. 115

Pizza hawaiienne sur pâte à la farine complète
Suivez la recette de base, en remplaçant 125 g de farine blanche par 115 g
de farine complète.

Pizza hawaiienne au jambon de Parme
Suivez la recette de base, en remplaçant le jambon cuit par la même
quantité de jambon de Parme, finement tranché et déchiré en lamelles.

Pizza hawaiienne au jambon cru
Suivez la recette de base, en remplaçant le jambon cuit par la même
quantité de jambon cru, finement tranché et déchiré en lamelles.

Pizza hawaiienne aux figues
Suivez la recette de base, en ajoutant à chaque pizza, en même temps
que les morceaux d'ananas, 1 ou 2 figues finement tranchées.

Pizza hawaiienne aux raisins
Suivez la recette de base, en ajoutant à chaque pizza, en même temps
que les morceaux d'ananas, 2 c. à s. de raisins noirs coupés en deux.

Variantes

Pizza grecque

Recette de base p. 116

Pizza grecque au tofu mariné
Suivez la recette de base, en ajoutant à chaque pizza 50 g de dés de tofu mariné, avec les olives et la feta.

Pizza grecque au tzatziki
Suivez la recette de base, en garnissant chaque pizza de 2 à 3 c. à s. de tzatziki, avant d'y ajouter les oignons et autres éléments de garniture.

Pizza grecque aux olives
Suivez la recette de base, en remplaçant les olives noires par la même quantité d'olives calamata, dénoyautées et coupées.

Pizza grecque sur pâte sans gluten
Suivez la recette de base, en remplaçant la pâte à pizza fine par la pâte sans gluten (p. 24).

Pizza grecque à l'agneau
Suivez la recette de base, en ajoutant à la préparation à l'oignon 225 g d'agneau haché. Faites rissoler l'ensemble ; la viande doit être bien cuite.

Variantes

Pizza méditerranéenne

Recette de base p. 119

Pizza méditerranéenne au brie
Suivez la recette de base, en remplaçant, pour chaque pizza, la mozzarella par 60 g de brie.

Pizza méditerranéenne aux escargots
Suivez la recette de base, en ajoutant à chaque pizza 275 g d'escargots. Préparation des escargots : faites-les sauter dans 40 g de beurre doux fondu, avec 2 gousses d'ail finement hachées. Salez et poivrez à votre convenance.

Pizza méditerranéenne au camembert
Suivez la recette de base, en remplaçant, pour chaque pizza, la mozzarella par 60 g de camembert.

Pizza méditerranéenne aux tomates cerises
Suivez la recette de base, en ajoutant à chaque pizza 6 à 8 tomates cerises coupées en deux, que vous disposerez par-dessus le fromage, avec les crevettes et les champignons.

Pizza méditerranéenne à la roquette
Suivez la recette de base, en ajoutant à chaque pizza 115 g de roquette, que vous disposerez par-dessus le fromage, avec les crevettes et les champignons.

Variantes

Pizza gourmande de Brooklyn

Recette de base p. 120

Pizza gourmande de Brooklyn à la saucisse
Suivez la recette de base, en remplaçant la tomate par la sauce à la saucisse (p. 28).

Pizza gourmande de Brooklyn à la viande
Suivez la recette de base, en répartissant entre les deux pizzas, par-dessus
le fromage, 175 g de pepperoni tranché et 225 g de saucisse italienne ou
aux herbes (cuite, coupée en deux dans le sens de la longueur, puis tranchée).

Pizza gourmande de Brooklyn aux légumes
Suivez la recette de base, en répartissant entre les deux pizzas, par-dessus la
tomate, 115 g de champignons émincés, 4 à 6 tomates séchées et conservées
dans de l'huile d'olive (égouttées et coupées en lamelles), ½ oignon doux
finement tranché et 50 g d'olives noires (dénoyautées et hachées).

Pizza gourmande de Brooklyn à la ratatouille
Suivez la recette de base, en remplaçant la tomate par de la ratatouille (p. 29).

Pizza gourmande de Brooklyn au saumon
Suivez la recette de base, en omettant la tomate concassée et la mozzarella.
Mélangez 4 c. à s. de pesto (p. 26) avec 250 g de ricotta. Étalez la moitié du
mélange sur chacun des disques et suivez la cuisson de la recette de base.
Au sortir du four, garnissez de 75 g de fines lamelles de saumon fumé.

Variantes

Pizza turque

Recette de base p. 123

Pizza turque au bœuf haché épicé
Suivez la recette de base, en remplaçant l'agneau haché par la même
quantité de bœuf maigre haché.

Pizza turque au porc haché épicé
Suivez la recette de base, en remplaçant l'agneau haché par la même
quantité de porc maigre haché.

Pizza turque à la dinde hachée épicée
Suivez la recette de base, en remplaçant l'agneau haché par la même
quantité de dinde hachée.

Pizza turque à la feta
Suivez la recette de base, en garnissant chaque pizza, au sortir du four,
de 1 c. à s. de feta émiettée.

Pizza turque au seitan épicé
Suivez la recette de base, en remplaçant l'agneau haché par la même
quantité de seitan émietté (préparation à base de gluten de blé, disponible
dans les rayons spécialisés en produits issus de l'agriculture biologique).

Variantes

Pizza de Montréal

Recette de base p. 124

Pizza de Montréal aux poivrons forts
Suivez la recette de base, en ajoutant à chaque pizza 50 g de poivrons forts,
en même temps que la viande fumée (ou le pastrami).

Pizza de Montréal sur fond de pâte à la farine de seigle
Suivez la recette de base, en remplaçant, pour la confection de la pâte,
50 g de farine par la même quantité de farine de seigle.

Pizza de Montréal à la viande des Grisons
Suivez la recette de base, en remplaçant la viande fumée (ou le pastrami)
par la même quantité de viande des Grisons.

Pizza de Montréal au corned-beef
Suivez la recette de base, en remplaçant la viande fumée (ou le pastrami)
par la même quantité de corned-beef.

Pizza de Montréal à la moutarde
Suivez la recette de base, en enduisant chaque tranche de viande fumée
(ou de pastrami) de moutarde.

Variantes

Pizza de Louisiane

Recette de base p. 127

Pizza de Louisiane au maïs
Suivez la recette de base, en omettant le poulet.

Pizza de Louisiane au gombo
Suivez la recette de base, en remplaçant la sauce pour pizza classique
par la même quantité de gombo. Omettez le poulet. Parsemez le gombo
de la préparation à la ricotta.

Pizza de Louisiane à la courgette
Suivez la recette de base, en ajoutant 225 g de courgette coupée en dés,
à la préparation au poulet et au maïs.

Pizza de Louisiane à la langouste
Suivez la recette de base, en remplaçant le poulet par la même quantité
de langouste, coupée en morceaux.

Pizza de Louisiane aux champignons blancs
Suivez la recette de base, en ajoutant 225 g de champignons blancs
aux poivrons.

Variantes

Pizza mexicaine

Recette de base p. 128

Pizza mexicaine sur tortilla
Suivez la recette de base, en remplaçant la pâte napolitaine par 4 grandes
tortillas (p. 223). Répartissez la sauce, le fromage et les divers éléments
de garniture entre les tortillas.

Pizza tex-mex
Suivez la recette de base, en remplaçant la moitié de la mozzarella
par la même quantité de cheddar.

Pizza mexicaine à la coriandre
Suivez la recette de base, en saupoudrant chaque pizza, au sortir du four,
de 2 c. à s. de coriandre fraîche finement ciselée.

Pizza mexicaine au Tabasco (rouge ou vert)
Suivez la recette de base, en remplaçant, pour chaque pizza, la sauce pour
pizza classique par 12 cl (½ tasse) de Tabasco.

Pizza mexicaine aux frijoles refritos
Suivez la recette de base, en ajoutant à chaque pizza 115 g de frijoles
refritos (haricots frits en purée).

Variantes

Deep-dish pizza

Recette de base p. 130

Deep-dish pizza végétarienne
Suivez la recette de base, en disposant par-dessus le fromage ½ oignon doux et ½ poivron vert finement tranché, ainsi que 115 g de champignons, avant de garnir la pizza de tomates concassées.

Deep-dish pizza à la saucisse
Suivez la recette de base, en remplaçant la moitié des tomates concassées par la sauce pour pizza à la saucisse (½ des proportions de la recette p. 28).

Deep-dish pizza aux quatre fromages
Suivez la recette de base, en remplaçant la moitié de la mozzarella par 75 g de provolone tranché. Recouvrez la pizza de 25 g de fontine râpée avant de la parsemer de parmesan.

Deep-dish pizza aux épinards
Suivez la recette de base, en remplaçant les tomates concassées et les herbes par 450 g d'épinards (lavés, équeutés, séchés et coupés). Faites revenir 225 g de champignons émincés dans 2 c. à s. d'huile d'olive extravierge. Quand ils commencent à brunir, ajoutez 2 gousses d'ail et poursuivez la cuisson 2 min. Hors du feu, mélangez les champignons et les épinards. Salez et poivrez à votre convenance. Suivez la recette. Vous pouvez ajouter 115 g de mozzarella tranchée par-dessus les épinards avant de parsemer de parmesan.

Variantes

Pizza napolitaine

Recette de base p. 131

Pizza napolitaine aux anchois
Suivez la recette de base, en disposant en rayons sur chaque pizza
4 à 6 filets d'anchois en conserve, égouttés et épongés.

Pizza napolitaine à la ricotta
Suivez la recette de base, en parsemant le dessus de la pizza de 4 à 5 c. à c.
de ricotta.

Pizza napolitaine aux sardines
Suivez la recette de base, en disposant en rayons sur chaque pizza
4 à 6 filets de sardines en conserve, égouttés et épongés.

Pizza napolitaine au basilic frais
Suivez la recette de base, en parsemant chaque pizza de 3 ou 4 feuilles
de basilic frais.

Pizza napolitaine sur fond de pâte aux herbes
Suivez la recette de base, en ajoutant des herbes aromatiques à la farine
servant à confectionner la pâte à pizza.

Fougasses, focaccias et pains plats d'Europe

Ces pains savoureux sont aussi agréables à déguster en sandwich qu'en accompagnement d'une soupe ou d'un plat en sauce. Appréciez-les aussi avec un dip ou du fromage. Régalez-vous des biscuits aux flocons d'avoine ou du pain d'orge au petit déjeuner, avec du beurre et de la confiture.

Fougasse classique

Pour 4 pains plats – 10 à 12 personnes.

Ce pain parfumé, parsemé d'olives noires, se mange sans faim… mais avec gourmandise !

1 c. à c. de levure lyophilisée
450 g de farine
25 g de farine de sarrasin
250 g de farine complète

4 c. à s. d'huile d'olive extravierge
2 c. à c. de sel
175 g d'olives noires dénoyautées

Dans le bol du robot ménager, versez 35 cl (1 1/3 tasse) d'eau chaude ; saupoudrez de levure. Incorporez 275 g de farine blanche, mélangez 1 min à vitesse minimale. Couvrez d'un film et réservez 30 min. Ajoutez 2 c. à s. d'huile, le sel, les olives et la farine de sarrasin, et mélangez. Versez les autres farines. Équipez le robot des crochets pétrisseurs et travaillez la pâte 4 à 5 min. Transvasez-la dans un bol légèrement huilé, en l'y faisant rouler pour l'imprégner de matière grasse. Couvrez d'un film et placez 2 h dans un endroit tiède ; la pâte doit doubler de volume.

Beurrez deux plaques à pâtisserie de 25×38 cm (10 x 15 po). Divisez la pâte en 4 portions égales. Pendant que vous travaillez la première, couvrez les autres d'un torchon. Étirez la pâte en un ovale de 15×30 cm (6 x 12 po), épais de 1 cm (1/3 po). Déposez-le sur une plaque et couvrez d'un film. Répétez l'opération avec une autre portion. Faites 3 incisions en chevron sur le côté des abaisses, en laissant une marge de 5 cm (2 po) de part et d'autre des bords supérieur et inférieur, et une marge de 2,5 cm (1 po) sur les côtés. Du bout des doigts, ouvrez les incisions, en ménageant un peu d'espace entre les quatre bandes. Couvrez d'un film et faites de nouveau lever 30 min.

Préchauffez le four à 400 °F (200 °C). Badigeonnez les pains d'huile d'olive et enfournez pour 20 min ; ils doivent être dorés et gonflés. Réitérez avec les deux autres portions.

Voir variantes p. 160

Focaccia

Pour 1 pain plat – 2 à 4 personnes.

Relativement simple à préparer, la focaccia est un pain plat léger et moelleux, délicieux en sandwich ou en accompagnement d'une soupe.

225 g de farine blanche
2 c. à s. d'huile d'olive extravierge
1 sachet de levure lyophilisée

1 c. à c. de sucre
1 c. à c. de sel

Délayez le sucre et la levure dans 5 c. à s. d'eau chaude. Réservez 10 min.

Dans le bol du robot ménager, mélangez la levure délayée et la farine jusqu'à homogénéité. Équipez le robot des crochets pétrisseurs et travaillez la pâte 1 à 2 min ; elle doit être souple. Transvasez la pâte dans un saladier légèrement huilé, en l'y faisant rouler afin de l'imprégner uniformément de matière grasse. Couvrez le saladier d'une serviette humide et placez-le dans un endroit tiède, à l'abri des courants d'air, pour 30 à 40 min ; la pâte doit doubler de volume. Préchauffez le four à 465 °F (240 °C), avec une plaque de cuisson dans la partie basse.

Déposez la pâte sur un plan de travail légèrement fariné et pétrissez-la de nouveau assez rapidement, avant de la façonner en un rectangle plat de 23 × 28 cm (9 x 11 po) aux bords arrondis. Badigeonnez l'abaisse d'huile d'olive et saupoudrez de sel. Posez-la ensuite sur une plaque à pâtisserie chemisée de papier sulfurisé ou transférez-la, à l'aide d'une pelle à pizza, sur la plaque de cuisson. Faites cuire 10 à 15 min ; la focaccia doit être légèrement dorée.

Voir variantes p. 161

Ciabatta

Pour 2 pains – 4 personnes.

Ce pain italien est à base de pâte préfermentée, dite *biga*, qu'il faut préparer la veille.

Biga
⅛ c. à c. de levure lyophilisée
125 g de farine à pain blanche
   + un peu pour le plan de travail

Ciabatta
½ c. à c. de levure sèche active traditionnelle
2 c. à s. de lait chaud
1 c. à s. d'huile d'olive
125 g de farine à pain
115 g de farine blanche
1 ½ c. à c. de sel

Préparation de la biga : dans un petit bol, mélangez la levure et 2 c. à s. d'eau chaude, et laissez reposer 5 min. Dans un saladier de taille moyenne, mélangez la levure délayée dans 5 c. à s. d'eau tiède et incorporez-y la farine. Mélangez pendant 3 à 4 min jusqu'à homogénéité. Couvrez d'un film et laissez reposer 12 à 24 h à température ambiante.

Préparation de la ciabatta : mélangez la levure et le lait chaud dans un petit bol. Réservez 5 min. Dans le bol du robot ménager, mélangez la pâte biga, la levure délayée dans 15 cl (10 c. à s.) d'eau tiède, l'huile et les farines, jusqu'à formation d'une pâte. Salez.

Équipez le robot des crochets pétrisseurs et travaillez la pâte 4 min ; elle doit être collante. Transvasez dans un saladier légèrement huilé et couvrez d'un film. Placez 2 h dans un endroit tiède ; la pâte doit doubler de volume.

Déposez la pâte sur un plan de travail légèrement fariné. Coupez-la en 2 parts, auxquelles vous donnerez une forme oblongue (23-25 cm [9-10 po.] de longueur). Couvrez à nouveau

avec un torchon humide et replacez le tout dans un endroit tiède, pour que la pâte lève encore 2 h ; elle doit à nouveau doubler de volume.

Placez la pierre de cuisson pour pizza dans la partie basse du four, que vous ferez préchauffer au moins 1 h à 425 °F (220 °C). Farinez légèrement la pelle à pizza avant d'y déposer le premier pain. Faites-le doucement glisser sur la pierre. Répétez l'opération rapidement pour un deuxième pain. Laissez cuire 20 min ; les pains doivent être légèrement dorés. Sortez-les du four en vous aidant de la pelle et laissez-les refroidir sur une grille.

Voir variantes p. 162

Hono

Pour 2 pains – 8 à 10 personnes.

Il existe plusieurs variantes de ce pain suédois, mais toutes sont à base de farine de seigle et de graines d'anis.

1 c. à s. de levure lyophilisée
1 c. à s. de graines d'anis
1 c. à s. de graines de fenouil
2 c. à s. de zeste d'orange râpé
75 g de mélasse
65 g de sucre

1 c. à s. de sel
275 g de farine de seigle
25 g de beurre doux, ramolli
   + un peu pour les plaques
275 à 350 g de farine blanche
Un peu de farine de maïs

Dans le bol du robot ménager, versez 35 cl (1⅓ tasse) d'eau chaude et saupoudrez de levure. Laissez reposer 10 min. Ajoutez l'anis et le fenouil, le zeste d'orange, la mélasse, le sucre et le sel. Mélangez. Incorporez la farine de seigle et le beurre. Mélangez. Versez la farine blanche. Pétrissez au robot 4 à 5 min. Transvasez dans un bol huilé, en enduisant de matière grasse. Couvrez d'un film et placez 2 h dans un endroit tiède ; la pâte doit doubler de volume.

Retravaillez la pâte 2 min à la main et coupez-la en deux. Beurrez deux plaques et saupoudrez-les de farine de maïs. Abaissez une moitié. Disposez-la sur la plaque et couvrez-la d'un torchon humide. Réitérez avec la seconde moitié. Replacez le tout 1 h dans un endroit tiède.

Préchauffez le four à 375 °F (190 °C). Pratiquez 3 ou 4 incisions en diagonale sur le dessus de chaque pain. Enfournez pour 30 à 35 min. Laissez refroidir sur une grille.

Voir variantes p. 163

Lefse

Pour 16 à 18 pains plats – 4 à 6 personnes.

Nombreuses sont les variantes de ce pain norvégien à base de pomme de terre.

900 g de purée de pommes de terre chaude
50 g de beurre doux, découpé en dés
12 cl (½ tasse) de crème fleurette
2 c. à c. de sucre

1 c. à c. de sel
175 g de farine blanche + un peu pour le plan
de travail et le rouleau à pâtisserie

Incorporez le beurre à la purée chaude et mélangez. Laissez refroidir à température ambiante. Ajoutez le reste des ingrédients, en mélangeant bien, jusqu'à obtention d'une pâte souple et lisse. Pétrissez pendant 1 à 2 min. Façonnez 16 à 18 boulettes, que vous aplatirez en disques de 2 cm (¾ po) d'épaisseur avant de les disposer sur une plaque à pâtisserie. Réservez 5 min.

Préchauffez à chaleur maximale une poêle électrique ou un gril à lefse. Farinez légèrement le plan de travail et le rouleau à pâtisserie. Abaissez chaque disque en une galette de 30 cm (12 po) de diamètre. Si votre pâte colle trop au rouleau, recouvrez-la d'un film avant de l'abaisser. Enlevez ensuite le film, puis faites glisser un couteau-palette sous l'abaisse, pour vérifier qu'elle n'adhère pas au plan de travail. Déposez ensuite la pâte sur la poêle ou le gril chaud, en la soulevant par le milieu. Faites cuire les pains en plusieurs fois, 30 secondes sur chaque face, jusqu'à apparition de taches brunes. Laissez-les refroidir sur une serviette en papier.

Vous pouvez empiler les lefses, en intercalant cependant une feuille de papier sulfurisé entre chacun. Ces pains plats peuvent se plier et se conserver au congélateur pendant 6 mois.

Voir variantes p. 164

Pain croquant au seigle

Pour 12 galettes – 4 à 6 personnes.

Ce pain croquant, appelé *knackebrod* en Norvège, est très apprécié, car il sèche bien et peut, de ce fait, être conservé relativement longtemps.

1 c. à s. de levure lyophilisée
160 g de farine de seigle
   + 40 g pour le plan de travail

160 g de farine blanche
1 c. à c. de sel

Dans un petit bol, mélangez 25 cl (1 tasse) d'eau chaude et la levure, et réservez 5 min. Dans le bol du robot ménager, mélangez les diverses farines et le sel. Ajoutez-y la levure délayée et mélangez à vitesse minimale jusqu'à formation d'une pâte.

Équipez l'appareil des crochets pétrisseurs et continuez de travailler la pâte, toujours à petite vitesse, pendant 3 à 4 min, en ajoutant ce qu'il faut de farine de seigle pour obtenir une pâte souple et lisse. Enduisez légèrement le plan de travail de la farine de seigle. Façonnez-y la pâte en une bûche que vous découperez en 12 parts. Formez des boules de pâte, placez-les sur une plaque à pâtisserie et couvrez-les d'une serviette de papier. Réservez l'ensemble dans un endroit tiède pour 30 min de levage.

Préchauffez le four à 425 °F (220 °C). Huilez légèrement deux plaques rectangulaires. Abaissez les boules de pâte au rouleau en disques de 10 cm (4 po) de diamètre. Disposez les abaisses sur les plaques, piquez-les à la fourchette et enfournez-les pour 8 à 10 min ; les galettes doivent être légèrement dorées. Laissez refroidir sur une grille.

Voir variantes p. 165

Blinis

Pour 10 à 12 petits ou 6 grands blinis – 2 ou 3 personnes.

Les blinis sont des crêpes russes, traditionnellement servies avec de la viande hachée ou une préparation à la crème aigre. Ils sont aussi très appréciés chez nous, où on les sert en accompagnement de crème fraîche et de saumon fumé – voire de caviar.

115 g de farine blanche
1 c. à c. de sel
20 cl (¾ tasse) de lait
1 ¼ c. à c. de levure lyophilisée

2 gros œufs, blanc et jaune séparés
5 c. à s. de crème aigre, de crème fraîche
    ou de crème fleurette
Huile de colza

Dans un saladier de taille moyenne, mélangez la farine et le sel. Dans une casserole, faites chauffer le lait. Hors du feu, saupoudrez de levure. Ajoutez les jaunes d'œufs et la crème ; mélangez bien. Versez doucement le liquide chaud sur la farine, en mélangeant au robot. Couvrez d'un film et placez 1 h 30 dans un endroit chaud ; la pâte doit lever et être mousseuse.

Battez les blancs en neige ferme, puis incorporez-les délicatement à la pâte. Couvrez à nouveau l'appareil d'un film et remettez le bol dans un endroit tiède pendant 2 h.

Pour la cuisson des blinis : enduisez une grande poêle d'huile de colza. Faites chauffer et versez-y 3 c. à s. de pâte pour un petit blini ou 6 c. à s. de pâte pour un grand blini, en faisant cuire de 30 secondes à 1 min de chaque côté, suivant la taille du blini, qui doit être bien doré. Servez chaud, avec l'accompagnement de votre choix.

Voir variantes p. 166

Crackers norvégiens

Pour 24 pièces – 10 à 12 personnes.

Des crackers délicieux, qui accompagnent à merveille les soupes et les dips.

125 g de farine complète
350 g de farine blanche
 + un peu pour le plan de travail
1 c. à c. de levure chimique

¼ c. à c. de sel
25 cl (1 tasse) de babeurre
12 cl (½ tasse) de crème fleurette
175 g de sirop de maïs

Dans un grand saladier, mélangez la farine complète avec 175 g de farine blanche. Ajoutez-y la levure et le sel. Incorporez les ingrédients restants jusqu'à obtention d'une pâte souple. Ajoutez 175 g de farine, par portions de 25 g ; la pâte doit durcir.

Divisez-la en 6 parts égales, que vous façonnerez en boules. Placez la première boule sur le plan de travail légèrement fariné. Couvrez le reste de pâte d'une serviette humide, afin qu'elle ne se dessèche pas. Abaissez la boule au rouleau en un rectangle fin de 28 x 20 cm (11 x 8 po), arrondi aux angles. Préchauffez une grande poêle électrique à 350 °F (180 °C). Déposez-y l'abaisse et faites-la cuire 1 min de chaque côté.

Répétez l'opération pour les autres portions de pâte.

Préchauffez le four à 260 °F (125 °C). Disposez les crackers, sans les faire se chevaucher, sur une plaque à pâtisserie. Enfournez pour 10 min ; ils doivent être croquants. Cassez chaque cracker en quatre avant de servir.

Voir variantes p. 167

Galettes d'avoine

Pour 8 pièces – 2 à 4 personnes.

Ces galettes d'avoine écossaises sont servies en quartiers.

75 g de flocons d'avoine
¼ c. à c. de sel

1 c. à c. de beurre salé, fondu
Un peu de farine pour le plan de travail

Faites préchauffer deux grandes poêles en fonte à feu moyen.

Dans un saladier de taille moyenne, mélangez les flocons d'avoine et le sel. Ajoutez le beurre fondu à 5 c. à s. d'eau chaude et versez doucement sur les ingrédients secs, afin de bien les imprégner. Ajoutez de l'eau chaude si nécessaire, en procédant progressivement (2 c. à s. à la fois).

Farinez légèrement le plan de travail. Divisez la pâte en 2 parts égales (travaillez rapidement, pour éviter le dessèchement), que vous abaisserez en 2 disques de 15 à 20 cm (6 à 8 po) de diamètre.

À l'aide d'un couteau tranchant, découpez chaque disque en quartiers, que vous placerez dans les poêles préchauffées. Faites cuire 3 à 5 min à feu moyen ; les galettes doivent brunir légèrement. Retournez-les et poursuivez la cuisson 1 min. Servez sans attendre, avec du beurre ou de la crème fraîche.

Voir variantes p. 168

Pain d'orge

Pour 1 pain de 20 cm (8 po) de long – 6 à 8 personnes.

Ce pain, que l'on consomme traditionnellement au petit déjeuner, est à la fois nourrissant et savoureux. N'oubliez pas de faire macérer l'orge perlé toute une nuit – c'est à cette condition que vous obtiendrez une pâte tendre et parfumée.

400 g d'orge perlé
50 cl (2 tasses) de babeurre
300 g de farine d'orge

1 c. à c. de levure chimique ou de bicarbonate de soude
1 c. à c. de sel

Dans un grand saladier, mélangez l'orge, préalablement rincé, et le babeurre. Couvrez d'un film alimentaire et laissez macérer toute une nuit au réfrigérateur.

Le lendemain, préchauffez le four à 350 °F (180 °C). Huilez et chemisez une poêle en fonte munie d'une poignée résistant à la chaleur.

Ajoutez 25 cl (1 tasse) d'eau au mélange orge/babeurre et, à l'aide d'un robot ménager, réduisez l'appareil en purée. Incorporez le reste des ingrédients et versez la pâte dans la poêle. Égalisez la surface. Enfournez pour 45 à 50 min. Au sortir du four, démoulez sur une grille et laissez refroidir.

Voir variantes p. 169

Variantes

Fougasse classique

Recette de base p. 143

Fougasse aux tomates confites
Suivez la recette de base, en remplaçant les olives par la même quantité
de tomates séchées conservées dans l'huile d'olive, que vous aurez
préalablement égouttées et coupées en morceaux.

Fougasse aux noix
Suivez la recette de base, en remplaçant l'huile d'olive par la même quantité
d'huile de noix et les olives par 115 g de noix grossièrement hachées.

Fougasse à la farine complète
Suivez la recette de base, en remplaçant la farine de sarrasin par la même
quantité de farine complète.

Fougasse aux jalapeños
Suivez la recette de base, en ajoutant aux olives deux gros jalapeños
(piments mexicains), épépinés et finement émincés.

Fougasse au romarin
Suivez la recette de base, en ajoutant 1 c. à c. de romarin séché aux olives.
On peut également saupoudrer les pains de romarin séché et émietté avant
cuisson, après les avoir badigeonnés d'huile d'olive.

Focaccia

Recette de base p. 144

Focaccia aux légumes d'été
Suivez la recette de base, en garnissant la pâte de légumes d'été avant de l'enfourner. Préparation de la garniture : mélangez 2 c. à s. d'huile d'olive à 2 c. à s. de vinaigre balsamique. Badigeonnez-en 175 g de courgettes, 1 oignon rouge coupé en lamelles et 1 poivron jaune coupé en quartiers. Faites griller les courgettes 4 min de chaque côté, les poivrons et les oignons 6 min. Laissez refroidir les poivrons avant de les couper en lamelles. Disposez sur la pâte et parsemez de 3 c. à s. de pecorino romano râpé.

Focaccia aux oignons caramélisés
Suivez la recette de base, en garnissant la pâte d'oignons caramélisés avant de l'enfourner. Préparation des oignons : faites revenir 4 oignons émincés à feu doux dans 5 c. à s. d'huile d'olive ; ils doivent être tendres et caramélisés. Ajoutez-y 2 c. à s. de vinaigre balsamique, puis salez et poivrez.

Focaccia au fromage
Suivez la recette de base, en supprimant le sel et en parsemant le pain de 3 c. à s. de pecorino romano râpé, après l'avoir badigeonné d'huile d'olive.

Focaccia à la sauge
Suivez la recette de base, en ajoutant 1 c. à s. de sauge fraîche finement ciselée au gros sel dont vous parsèmerez le pain avant de l'enfourner.

Variantes

Ciabatta

Recette de base p. 146

Ciabatta au fromage
Suivez la recette de base, en ajoutant 50 g de cheddar râpé à la pâte avant de la pétrir.

Ciabatta à la fleur de sel
Suivez la recette de base, en saupoudrant le dessus des pains de 1 c. à s. de fleur de sel avant de les enfourner.

Ciabatta aux graines de lin
Suivez la recette de base, en ajoutant 35 g de graines de lin à la pâte avant de la pétrir.

Ciabatta au thym
Suivez la recette de base, en ajoutant ¼ c. à c. de thym séché et écrasé à la pâte avant de la pétrir.

Ciabatta au paprika fumé
Suivez la recette de base, en ajoutant ¼ c. à c. de paprika fumé à la pâte avant de la pétrir.

Hono

Recette de base p. 148

Hono aux graines de céleri
Suivez la recette de base, en remplaçant les graines de fenouil par la même quantité de graines de céleri.

Hono aux graines de tournesol
Suivez la recette de base, en remplaçant les graines de fenouil par la même quantité de graines de tournesol.

Hono à l'orge
Suivez la recette de base, en remplaçant 50 g de farine blanche par ½ tasse de farine d'orge.

Hono au fromage
Suivez la recette de base, en ajoutant 3 c. à s. de parmesan finement râpé à la pâte avant de la pétrir.

Hono au cumin
Suivez la recette de base, en remplaçant les graines de fenouil par la même quantité de cumin.

Variantes

Lefse

Recette de base p. 149

Lefse à la ciboulette
Suivez la recette de base, en ajoutant 2 c. à s. de ciboulette fraîche finement ciselée à la purée de pommes de terre avant de la pétrir.

Lefse au fromage
Suivez la recette de base, en ajoutant 50 g de cheddar à la purée de pommes de terre avant de la pétrir.

Lefse à la crème de maïs
Suivez la recette de base, en ajoutant 115 g de crème de maïs à la purée de pommes de terre avant de la pétrir.

Lefse à l'ail
Suivez la recette de base, en ajoutant 1 à 2 gousses d'ail finement hachées à la purée de pommes de terre avant de la pétrir.

Variantes

Pain croquant au seigle

Recette de base p. 151

Pain croquant au seigle et aux graines de fenouil
Suivez la recette de base, en ajoutant à la farine 2 c. à s. de graines
de fenouil.

Pain croquant au seigle et aux graines de lin
Suivez la recette de base, en ajoutant à la farine 2 c. à c. de graines de lin.

Pain croquant au seigle et au fromage
Suivez la recette de base, en parsemant les abaisses de 1 à 2 c. à c.
de parmesan finement râpé avant de les enfourner.

Pain croquant au seigle et aux graines de sésame
Suivez la recette de base, en parsemant les abaisses de 1 à 2 c. à c.
de graines de sésame avant de les enfourner.

Pain croquant au seigle et aux harengs
Suivez la recette de base, en garnissant chaque abaisse d'un morceau de
hareng mariné et d'une pincée de coriandre fraîche finement ciselée.

Variantes

Blinis

Recette de base p. 152

Blinis à la farine complète
Suivez la recette de base, en remplaçant 50 g de farine blanche
par de la farine complète.

Blinis à la pomme
Suivez la recette de base, en ajoutant 50 g de pomme râpée à la pâte
avant de la faire cuire.

Blinis à la pomme de terre
Suivez la recette de base, en ajoutant 50 g de pomme de terre râpée
à la pâte avant de la faire cuire.

Blinis aux raisins secs
Suivez la recette de base, en ajoutant 40 g de raisins secs à la pâte
avant de la faire cuire.

Blinis à la farine de sarrasin
Suivez la recette de base, en remplaçant 50 g de farine blanche
par la même quantité de farine de sarrasin.

Variantes

Crackers norvégiens

Recette de base p. 155

Crackers norvégiens à la fleur de sel
Suivez la recette de base, en parsemant chacun des crackers de 1 c. à s.
de fleur de sel avant de les enfourner.

Crackers norvégiens aux graines de lin
Suivez la recette de base, en ajoutant 2 c. à c. de graines de lin à la farine.

Crackers norvégiens au parmesan
Suivez la recette de base, en parsemant chacun des crackers de 1 c. à s.
de parmesan finement râpé avant de les enfourner.

Crackers norvégiens au gorgonzola
Suivez la recette de base, en servant chaque cracker avec un morceau
de gorgonzola décoré d'une tranche de pomme verte.

Crackers norvégiens à l'origan
Suivez la recette de base, en agrémentant la farine de 1 c. à c. d'origan
séché.

Variantes

Galettes d'avoine

Recette de base p. 156

Galettes d'avoine à la confiture de fraises
Suivez la recette de base, en servant chaque part de galette garnie
de 1 c. à s. de confiture de fraises.

Galettes d'avoine au vieux cheddar
Suivez la recette de base, en servant chaque part de galette accompagnée
d'un morceau de vieux cheddar.

Galettes d'avoine au Marmite
Suivez la recette de base, en servant chaque part de galette garnie
de ½ c. à c. de Marmite.

Galettes d'avoine au chutney d'oignon
Suivez la recette de base, en servant chaque part de galette garnie
de 1 c. à c. de chutney d'oignon.

Galettes d'avoine au son
Suivez la recette de base, en ajoutant 25 g de son aux flocons d'avoine. Si
nécessaire, utilisez plus d'eau qu'indiqué dans la recette pour former la pâte.

Variantes

Pain d'orge

Recette de base p. 159

Pain d'orge au beurre et à la confiture
Suivez la recette de base. Servez chaque tranche de pain garnie de 1 c. à c. de beurre et de 1 c. à c. de confiture de framboises.

Pain d'orge et d'épeautre
Suivez la recette de base, en remplaçant 65 g de farine d'orge par la même quantité de farine d'épeautre.

Pain d'orge et de quinoa
Suivez la recette de base, en remplaçant 65 g de farine d'orge par la même quantité de farine de quinoa.

Pain d'orge et d'avoine
Suivez la recette de base, en remplaçant 65 g de farine d'orge par ½ tasse de farine d'avoine (et non pas de flocons d'avoine).

Pain d'orge aux abricots secs
Suivez la recette de base, en ajoutant 115 g d'abricots secs émincés à la pâte avant de la faire cuire.

Pains des Indes et d'Afrique

Vous trouverez dans ce chapitre la recette de pains de textures très diverses – des naans moelleux aux poppadums croquants, en passant par les galettes à la noix de coco, plus consistants. Vous n'aurez que l'embarras du choix pour accompagner au mieux vos plats exotiques préférés.

Naan

Pour 14 pièces – 6 à 8 personnes.

Ces galettes, que l'on mange sans faim, sont parfaites en accompagnement d'un curry.

1 à 2 c. à c. de levure lyophilisée	2 c. à c. de sel
50 g de sucre	500 g de farine à pain
3 c. à s. de lait entier	1 gousse d'ail, pelée
1 gros œuf, légèrement battu	50 g de beurre doux

Dans le bol du robot ménager, mélangez 20 cl (¾ tasse) d'eau chaude et la levure. Réservez 10 min ; la levure doit mousser. Ajoutez le sucre, le lait, l'œuf, le sel et la farine. Mélangez. Équipez l'appareil des crochets pétrisseurs et travaillez la pâte 4 à 5 min ; elle doit être souple. Déposez-la dans un saladier légèrement huilé, et faites-l'y rouler afin de l'imprégner de matière grasse. Couvrez de film alimentaire et placez 1 h dans un endroit tiède ; la pâte doit doubler de volume.

Retravaillez la pâte, puis découpez-la en 14 parts de la taille d'un œuf. Façonnez chacune d'elles en boule et disposez-les sur une plaque à pâtisserie légèrement huilée. Couvrez celle-ci d'une serviette en papier et placez-la dans un endroit tiède, pour un nouveau levage de 30 min.

Préchauffez le four à 450 °F (230 °C) et placez-y, dans le bas, la pierre de cuisson. Étalez la pâte au rouleau en abaisses oblongues (15 × 10 cm [6 x 4 po]). Placez un naan légèrement fariné sur la pierre. Réitérez pour tous les naans pouvant loger sur la pierre, sans se chevaucher. Faites cuire 8 à 10 min ; les galettes doivent être gonflées et présenter des taches brunes. Pendant ce temps, faites fondre le beurre à feu doux avec l'ail. Badigeonnez-en les naans au sortir du four.

Voir variantes p. 188

Chapatti

Pour 10 pièces – 4 ou 5 personnes.

Ce pain plat accompagne parfaitement des currys et des soupes indiennes.

125 g de farine complète
115 g de farine blanche
   + un peu pour le plan de travail

1 c. à c. de sel
3 c. à s. d'huile d'olive

Dans un grand saladier, mélangez les diverses farines et le sel. Ménagez un puits au centre et versez-y 2 c. à s. d'huile d'olive et juste ce qu'il faut d'eau pour faire une pâte souple. Pétrissez la pâte sur un plan de travail légèrement fariné ; elle doit être élastique.

À l'aide d'un couteau tranchant, divisez la pâte en 10 parts égales. Façonnez chacune d'elles en boule et disposez-les sur une plaque à pâtisserie. Réservez environ 30 min.

Faites chauffer une grande poêle à fond épais, que vous badigeonnerez du reste d'huile.

Sur le plan de travail, abaissez chaque boule de pâte en un disque d'environ 20 cm (8 po) de diamètre. Déposez l'abaisse sur la plaque chaude et faites cuire 30 secondes de chaque côté ; la galette est prête quand elle présente des taches brunes. Répétez l'opération pour les autres boules de pâte.

Enveloppez les chapattis cuits dans un torchon, afin qu'ils conservent leur moelleux en refroidissant. Servez chaud ou à température ambiante.

Voir variantes p. 189

Poppadum

Pour 8 pièces – 2 ou 3 personnes.

Ces galettes croquantes, à base de lentilles jaunes, doivent sécher pendant plusieurs jours avant d'être cuisinées et consommées.

25 g de lentilles jaunes, finement écrasées
¼ c. à c. de poivre noir, fraîchement moulu

¼ c. à c. de piment en poudre
1,5 l d'huile de colza

Mettez les lentilles, le poivre et le piment dans une casserole avec 5 c. à s. d'eau et faites cuire 3 min à feu moyen ; l'eau doit être complètement absorbée. Laissez ensuite refroidir à température ambiante.

Divisez la pâte en 8 parts égales que vous façonnerez en boules. Mettez chaque boule de pâte entre deux feuilles de papier sulfurisé ou de film alimentaire et abaissez en un disque très fin, de 10 cm (4 po) de diamètre. Disposez les abaisses sur une grille et laissez-les sécher 24 h à température ambiante ou dehors, au soleil. Retournez-les et poursuivez le séchage pendant 3 jours, en retournant les galettes régulièrement. Stockez-les dans une boîte hermétique.

Faites chauffer une poêle profonde, dans laquelle vous aurez versé l'huile de colza sur une hauteur de 5 cm (2 po). Plongez les galettes dans l'huile bouillante à l'aide de pinces. Laissez-les cuire 10 secondes, puis déposez-les sur une grille pour les faire égoutter et les laisser refroidir. Vous pouvez également badigeonner les galettes d'huile et les passer sous un gril chaud pendant quelques secondes.

Voir variantes p. 190

Galettes à la noix de coco

Pour 12 pièces – 4 à 6 personnes.

Ces pains doux, spécialité cinghalaise, accompagnent parfaitement un repas épicé.

225 g de farine blanche
  + un peu pour le plan de travail
½ c. à c. de sel

125 g de noix de coco, en poudre
15 g de beurre doux

Dans un grand saladier, mélangez la farine, le sel et la noix de coco. Ajoutez 4 c. à s. d'eau bouillante et travaillez jusqu'à obtention d'une pâte souple, mais pas collante.

Pétrissez la pâte pendant environ 5 min sur un plan de travail légèrement fariné. Divisez-la ensuite en 12 parts de la taille d'un œuf, que vous étalerez chacune en un disque de 7,5 cm (3 po) de diamètre. Disposez ces disques tour à tour entre deux feuilles de film alimentaire ou de papier sulfurisé et abaissez-les en galettes de 2 mm d'épaisseur.

Préchauffez le four à 140 °F (275 °C). Préchauffez une grande poêle à fond épais à feu vif. Lorsqu'elle est bien chaude, jetez-y le beurre et déposez-y une galette, que vous ferez cuire 1 min de chaque côté ; elle doit présenter des taches brunes. Procédez de la même manière pour les autres galettes. Une fois toutes les galettes cuites, gardez-les au chaud dans le four, dans un plat adéquat, jusqu'au moment de servir.

Voir variantes p. 191

Paratha

Prour 16 pièces – 6 à 8 personnes.

Ce pain plat doit à son double pliage sa texture délicieusement légère.

250 g de farine complète	1 c. à c. de sel
175 g de farine blanche	3 c. à s. d'huile de colza
+ un peu pour le plan de travail	115 g de beurre doux, fondu

Dans le bol du robot, mélangez la farine complète, 115 g de la farine blanche et le sel. Transvasez dans un saladier et ménagez un puits au centre, où vous verserez l'huile de colza. Pour mélanger, prenez dans votre main droite une poignée de farine imbibée d'huile et frottez-la contre votre main gauche, dans laquelle vous n'aurez que de la farine sèche. Répétez l'opération jusqu'à obtention d'un mélange relativement homogène.

Replacez le bol sur le robot, ajoutez 25 cl (1 tasse) d'eau chaude et actionnez à vitesse minimale. Équipez le robot des crochets pétrisseurs et travaillez la pâte 5 à 6 min ; elle doit être souple et lisse. Couvrez d'un film et placez 30 min dans un endroit tiède.

Déposez la pâte sur un plan de travail légèrement fariné. Pétrissez-la 1 à 2 min à la main, puis divisez-la en 2 parts égales. Façonnez chaque part en une bûche que vous découperez en 8 morceaux. Faites une boule de chaque morceau. Saupoudrez du reste de farine et disposez dans un saladier que vous recouvrirez d'un torchon humide.

Placez une boule de pâte sur le plan de travail et aplatissez-la en forme de disque. Farinez-la sur les côtés avant de l'abaisser en un cercle de 13 cm (5 po) de diamètre. Badigeonnez de beurre fondu et pliez en deux. Répétez l'opération ; vous obtiendrez un triangle. Farinez

légèrement les côtés du triangle et étalez la pâte au rouleau, en lui conservant sa forme, jusqu'à obtenir une abaisse de 18 cm (7 po) de côté. Faites de même pour les autres boules de pâte.

Faites chauffer une grande poêle en fonte à feu vif. Déposez-y un triangle, que vous ferez cuire 2 min. Retournez et faites cuire 15 à 20 s. Badigeonnez de beurre fondu, retournez et faites cuire encore 30 s. Badigeonnez l'autre face et répétez l'opération. Réitérez avec les autres triangles de pâte.

Voir variantes p. 192

Dosa

Pour 16 à 18 pièces – 5 ou 6 personnes.

Traditionnellement servis au petit déjeuner, les dosas sont à base de haricots blancs cassés et débarrassés de leur peau, dont il est important de respecter le temps de trempage.

175 g de urad daal (haricots blancs cassés)	**1 c. à c. de sel**
275 g de farine de riz	**1 c. à s. d'huile de colza**

Faites tremper les haricots dans 1 l d'eau pendant 10 à 12 h. Égouttez-les et réduisez-les en purée, en leur ajoutant jusqu'à 25 cl (1 tasse) d'eau pour obtenir une pâte homogène.

Dans une petite casserole, faites chauffer à feu doux 12 cl (½ tasse) d'eau. Ajoutez 1 c. à s. de farine de riz et fouettez jusqu'à épaississement. Sortez du feu et réservez.

Mettez la purée d'urad daal, le sel, le reste de farine et d'eau dans le bol du robot. Mélangez à vitesse moyenne jusqu'à obtention d'une pâte lisse. Réduisez la vitesse et incorporez la préparation de farine de riz. Mélangez bien. Couvrez d'un film et réservez 6 à 12 h.

Préchauffez le four à 275 °F (140 °C). Huilez légèrement et préchauffez une grande poêle à fond épais. Versez-y 12 cl (½ tasse) de la préparation précédente en son centre. Faites-la tournoyer afin de répartir uniformément la pâte, de manière à former un disque de 20 à 25 cm (8 à 10 po) de diamètre. Faites cuire 1 à 2 min de chaque côté ; le dosa doit être uniformément doré et croquant sur les bords. Mettez les dosas dans un plat adéquat et conservez-les au chaud au four, pendant que vous terminez de faire cuire le reste de pâte.

Voir variantes p. 193

Injera

Pour 6 à 8 pièces – 3 ou 4 personnes.

Ce pain éthiopien est réalisé à partir d'une pâte ayant fermenté au moins 24 h. On le met généralement au fond du plat, au-dessous des préparations en sauce. Il se mange traditionnellement avec les doigts.

1 c. à c. de levure lyophilisée
225 g de farine de teff

Dans un petit bol, mélangez la levure à 10 cl ($\frac{1}{3}$ tasse) d'eau chaude. Réservez 5 min.

Mettez la farine dans le bol du robot. Ajoutez-y 60 cl (2 $\frac{1}{3}$ tasses) d'eau chaude, puis incorporez la levure délayée. Mélangez bien. Couvrez d'un film alimentaire et laissez fermenter l'appareil à température ambiante pendant 24 à 72 h.

Préchauffez une grande poêle à fond épais. Versez-y 10 cl ($\frac{1}{3}$ tasse) de pâte au centre, en la remuant afin de bien répartir la matière, de manière à former un disque de 25 à 30 cm (10 à 12 po) de diamètre. Contrairement aux crêpes, les injeras ne se cuisent que d'un côté.

Faites cuire pendant 2 min à feu doux ; la galette doit présenter une surface lunaire au milieu, les bords se recroquevillant légèrement. Sortez-la de la poêle et laissez-la refroidir sur un plat. Répétez l'opération jusqu'à épuisement de la pâte.

Voir variantes p. 194

Pain à la farine de pois chiche

Pour 5 pièces – 6 à 8 personnes.

Un pain diététique, à consommer avec des dips et autres préparations type tapas.

2 c. à c. de levure lyophilisée
1 c. à s. de miel
450 g de farine à pain blanche
1 c. à s. de sel
225 g de pois chiches, égouttés et écrasés

1 ½ c. à c. de graines de cumin,
   grossièrement concassées
1 ½ c. à c. de graines de coriandre,
   grossièrement concassées

Dans un petit bol, mélangez la levure à 10 cl (⅓ tasse) d'eau chaude. Ajoutez le miel. Réservez 5 min. Dans le bol du robot, mettez la moitié de la farine et le sel. Ajoutez la levure délayée et mélangez à vitesse minimale jusqu'à homogénéité. Incorporez le reste de farine, la purée de pois chiches et les épices. Mélangez bien. Ajoutez si besoin jusqu'à 15 cl (10 c. à s.) d'eau chaude et 50 g de farine pour obtenir une pâte souple et suffisamment humide.

Équipez le robot des crochets pétrisseurs et travaillez la pâte 4 à 5 min. Placez-la dans un saladier légèrement huilé et faites-l'y rouler afin de bien l'enrober de matière grasse. Couvrez d'un film et placez 1 h dans un endroit tiède ; la pâte doit doubler de volume.

Préchauffez le four à 450 °F (230 °C) et placez-y, dans la partie basse, la pierre de cuisson. Repétrissez la pâte, puis divisez-la en 5 parts. Abaissez chaque part en un disque oblong de 5 mm d'épaisseur. Faites glisser la première abaisse sur la pierre de cuisson. Faites cuire 2 ou 3 galettes à la fois, pendant 4 à 5 min ; elles doivent être gonflées et bien dorées.

Voir variantes p. 195

Pain marocain épicé aux olives

Pour 4 ou 5 personnes, en entrée.

Ce pain plat, réalisé sans agent levant, est délicieusement épicé.

125 g de farine blanche
   + un peu pour le plan de travail
2 c. à c. de sucre
1 c. à c. de sel
¼ c. à c. de poivre noir, fraîchement moulu
10 olives marocaines, égouttées et dénoyautées

1 c. à s. d'huile d'olive extravierge
   + un peu pour dorer
¼ c. à c. de sel
½ c. à c. d'ail en poudre
¼ c. à c. de curry en poudre
¼ c. à c. de cumin en poudre

Dans le bol du robot, mélangez la farine, le sucre, le sel, le poivre et les olives grossièrement hachées. Ajoutez 1 c. à s. d'huile d'olive et 10 cl (⅓ tasse) d'eau, de manière à former une pâte. Équipez le robot des crochets pétrisseurs et travaillez la pâte 1 à 2 min ; elle doit être souple. Couvrez d'un film alimentaire et placez 1 h au frais.

Pendant ce temps, mélangez toutes les épices restantes dans un petit bol. Réservez.

Préchauffez le four à 400 °F (200 °C) et chemisez une grande plaque à pâtisserie de papier sulfurisé que vous aurez légèrement huilé. Placez la pâte sur le plan de travail fariné. Étalez-la au rouleau en une abaisse oblongue extrêmement fine que vous transférerez délicatement sur la plaque. Badigeonnez légèrement la pâte d'huile d'olive et parsemez-la du mélange d'épices. Enfournez à mi-hauteur du four pour 20 min ; le pain doit être joliment doré. Laissez refroidir sur une grille, puis découpez en morceaux avant de servir.

Voir variantes p. 196

Pain à la cardamome

Pour 3 ou 4 pièces – 3 ou 4 personnes.

La cardamome contribue merveilleusement au délicat parfum de cette galette fourrée.

Pâte
115 g de farine blanche
1 pincée de sel
1 ½ c. à s. d'huile de colza, tiédie

Garniture
25 g de farine de pois chiche
1 c. à c. d'huile de colza
175 g de sucre brun
1 c. à s. de graines de pavot
¼ c. à c. de cardamome en poudre
1 pincée de noix muscade
25 g de beurre doux, fondu

Dans le bol du robot, mélangez la farine, le sel, 1 c. à s. d'huile et assez d'eau pour former une pâte dure. Équipez le robot des crochets pétrisseurs et travaillez la pâte 2 min. Réservez 10 min. Pétrissez à nouveau, en ajoutant le reste d'huile. Divisez la pâte en boules de la taille d'une petite pêche.

Préparation de la garniture : faites dorer la farine de pois chiche dans l'huile de colza. Mélangez-la avec le sucre brun, les graines de pavot, la cardamome et la noix muscade. Travaillez le mélange à la main et façonnez des boules de la taille d'une noix.

Prenez 1 boule de garniture en sandwich entre 2 boules de pâte. Étalez le tout au rouleau en un disque fin, de 13 à 15 cm (5 à 6 po) de diamètre. Répétez l'opération avec le reste de pâte et de garniture.

Faites chauffer une poêle antiadhésive à feu moyen. Mettez-y les galettes à cuire 2 min. Beurrez l'autre face et poursuivez la cuisson 1 min. Répétez la manœuvre. Servez chaud ou tiède.

Voir variantes p. 197

Variantes

Naan

Recette de base p. 171

Naan au cumin
Suivez la recette de base, et ajoutez 1 c. à c. de cumin en poudre à la farine.
Parsemez chaque naan d'une pincée de graines de cumin avant la cuisson.

Naan aux graines de nigelle (cumin noir)
Suivez la recette de base, et parsemez chaque naan d'une pincée de graines
de nigelle avant la cuisson.

Naan à l'ail
Suivez la recette de base, en ajoutant 1 gousse d'ail écrasée à la farine.

Naan au ghee
Suivez la recette de base, en remplaçant le beurre doux par la même
quantité de ghee (beurre clarifié).

Variantes

Chapatti

Recette de base p. 172

Chapatti au ghee
Suivez la recette de base, et badigeonnez chaque chapatti de ghee (beurre clarifié) avant de servir.

Chapatti au millet
Suivez la recette de base, et remplacez 55 g de farine complète par la même quantité de farine de millet.

Chapatti à la farine de maïs
Suivez la recette de base, et remplacez 55 g de farine complète par la même quantité de farine de maïs.

Chapatti à la farine complète
Suivez la recette de base, et remplacez la farine blanche par 125 g de farine complète.

Variantes

Poppadum

Recette de base p. 175

Poppadum au poivre rose moulu
Suivez la recette de base, en l'agrémentant de ¼ c. à c. de poivre rose moulu.

Poppadum au piment de Cayenne
Suivez la recette de base, en l'agrémentant d'une pincée de piment de Cayenne.

Poppadum au cumin
Suivez la recette de base, en l'agrémentant de ¼ c. à c. de cumin en poudre.

Poppadum à l'ail
Suivez la recette de base, en y ajoutant ¼ c. à c. d'ail en poudre.

Variantes

Galettes à la noix de coco

Recette de base p. 176

Galettes à la noix de coco et à la confiture de framboises
Suivez la recette de base, en garnissant chaque galette de 1 à 2 c. à c.
de confiture de framboises avant de servir.

Galettes à la noix de coco et au miel
Suivez la recette de base, en garnissant chaque galette de 1 c. à s. de miel
avant de servir.

Galettes à la noix de coco et à la mélasse
Suivez la recette de base, en garnissant chaque galette de 1 c. à s.
de mélasse avant de servir.

Galettes à la noix de coco et à la banane
Suivez la recette de base, en garnissant chaque galette de plusieurs tranches
de banane fraîche.

Variantes

Paratha

Recette de base p. 178

Paratha aux pommes de terre
Suivez la recette de base, en garnissant chaque paratha de 1 à 2 c. à s.
de curry de pommes de terre.

Paratha aux œufs
Suivez la recette de base, en garnissant chaque paratha de 1 à 2 c. à s.
d'œufs brouillés.

Paratha au chutney
Suivez la recette de base, en garnissant chaque paratha de 1 à 2 c. à s.
de chutney.

Paratha à la grenade
Suivez la recette de base, en garnissant chaque paratha de 1 c. à s.
de graines de grenade.

Variantes

Dosa

Recette de base p. 180

Dosa à la semoule
Suivez la recette de base, en remplaçant 65 g de farine de riz par
de la semoule fine.

Dosa à l'omelette
Suivez la recette de base et déposez 50 g d'omelette au milieu de chaque
dosa. Repliez les bords supérieur et inférieur de la galette par-dessus la
garniture et roulez l'ensemble, comme s'il s'agissait d'un burrito.

Dosa au ghee
Suivez la recette de base et badigeonnez chaque dosa de 1 c. à s. de ghee
(beurre clarifié).

Dosa aux oignons
Suivez la recette de base et déposez 3 c. à s. d'oignons caramélisés au milieu
de chaque dosa. Repliez les bords supérieur et inférieur de la galette par-
dessus la garniture et roulez l'ensemble, comme s'il s'agissait d'un burrito.

Variantes

Injera

Recette de base p. 181

Injera à la farine de blé
Suivez la recette de base, en remplaçant la farine de teff par la même
quantité de farine de blé. Augmentez la quantité de levure à 2 c. à c.
et réduisez le temps de levage à 2 ou 3 h.

Injera à la farine de maïs
Suivez la recette de base, en remplaçant 60 g de farine de teff par la même
quantité de farine de maïs.

Injera à l'orge
Suivez la recette de base, en remplaçant 60 g de farine de teff par la même
quantité de farine d'orge.

Injera au riz
Suivez la recette de base, en remplaçant 60 g de farine de teff par la même
quantité de farine de riz.

Variantes

Pain à la farine de pois chiche

Recette de base p. 183

Pain à la farine de pois chiche et au safran
Suivez la recette de base, en ajoutant à la purée de pois chiches ⅓ c. à c. de
brins de safran ayant macéré dans 6 cl (4 c. à s.) d'eau chaude pendant 10 min.
Omettez les graines de cumin et de coriandre.

Pain à la farine de pois chiche et au paprika fumé
Suivez la recette de base, en ajoutant ½ c. à c. de paprika fumé aux autres
épices.

Pain à la farine de pois chiche et à la menthe
Suivez la recette de base, en ajoutant ½ c. à c. de feuilles de menthe séchée
et écrasée aux autres épices.

Pain à la farine de pois chiche et à la grenade
Suivez la recette de base, en ajoutant ½ c. à c. de graines de grenade
écrasées aux autres graines.

Variantes

Pain marocain épicé aux olives

Recette de base p. 184

Pain marocain épicé aux tomates confites
Suivez la recette de base, en remplaçant les olives par 40 g de tomates séchées conservées dans de l'huile d'olive, que vous aurez préalablement égouttées et coupées en morceaux.

Pain marocain épicé aux figues
Suivez la recette de base, en remplaçant les olives par 40 g de figues séchées et coupées en morceaux.

Pain marocain épicé aux raisins secs
Suivez la recette de base, en remplaçant les olives par 40 g de raisins secs.

Pain marocain épicé aux poivrons rouges
Suivez la recette de base, en remplaçant les olives par 40 g de poivrons rouges rôtis, coupés en lamelles.

Variantes

Pain à la cardamome

Recette de base p. 187

Pain à la cardamome et à la cannelle
Suivez la recette de base, en ajoutant ¼ c. à c. de cannelle moulue
aux autres épices.

Pain à la cardamome et au quatre-épices
Suivez la recette de base, en ajoutant une pincée de quatre-épices
aux autres épices.

Pain à la cardamome et au chocolat
Suivez la recette de base, en ajoutant 2 c. à s. de cacao amer au mélange
d'épices.

Pain à la cardamome et aux noix
Suivez la recette de base, en ajoutant 25 g de noix grossièrement hachées
à la garniture.

Pains traditionnels du Moyen-Orient

Les pains présentés dans ce chapitre sont d'origines diverses et extrêmement différents les uns des autres. Vous trouverez donc de quoi accompagner votre prochain repas moyen-oriental, que vous souhaitiez un pain souple et tendre ou une galette plus croquante et enrobée d'épices.

Matza ou pain azyme

Pour 32 pièces.

Pour respecter certaines contraintes de temps, mieux vaut réaliser cette recette à deux. En effet, les *matzoth* (pains azymes) que l'on consomme au moment de Pessah (la Pâque juive) doivent être cuits dans des conditions précises pour éviter la fermentation.

250 g de farine de matza	**35 cl (1 ⅓ tasse) d'eau minérale cachère**
½ c. à c. de sel cacher	**Un peu de farine pour le plan de travail**

Préchauffez le four à 450 °F (230 °C). Dans un grand saladier, mélangez la farine de matza et le sel. Ajoutez l'eau et mélangez jusqu'à obtention d'une pâte dure.

Farinez légèrement le plan de travail. Pétrissez la pâte à la main pendant 3 à 4 min, puis découpez-la en 8 parts égales.

Travaillez 1 portion de pâte à la fois. Placez-la entre deux feuilles de papier sulfurisé et étalez-la en une abaisse la plus fine possible. Enlevez la feuille du dessus et déposez le disque de pâte sur une grande plaque à pâtisserie. Découpez l'abaisse en carrés de 7,5 cm (3 po) de côté et piquez la pâte à l'aide d'une fourchette.

Enfournez pour 3 à 4 min ; le pain doit être doré et croquant. Laissez-le refroidir et sécher sur une grille. Répétez l'opération avec le reste de la pâte.

Voir variantes p. 214

Man'ouché

Pour 1 pièce – 2 ou 3 personnes.

Cette délicieuse spécialité libanaise accompagne à merveille les mezzés.

1 sachet de levure lyophilisée
175 g de farine blanche + un peu pour la pâte
   et le plan de travail
½ c. à c. de sel

50 g de thym séché
50 g de sumac moulu
1 c. à s. de graines de sésame
3 c. à s. d'huile d'olive extravierge

Dans un saladier, mélangez la levure et 1 c. à s. de farine avec 4 c. à s. d'eau chaude. Réservez 10 min ; le mélange doit être mousseux. Dans le bol du robot, mettez le sel et 75 g de farine. Ajoutez la levure délayée et 4 c. à s. d'eau. Mélangez bien. Incorporez progressivement le reste de farine et mélangez jusqu'à obtention d'une pâte qui se détache des parois du bol.

Équipez le robot des crochets pétrisseurs et travaillez la pâte 4 à 5 min ; elle doit être souple. Façonnez-la en boule et, après l'avoir légèrement farinée, mettez-la dans un saladier. Recouvrez d'un film et placez 1 h 30 dans un endroit tiède ; la pâte doit doubler de volume.

Préparation du zahtar (mélange d'épices) : dans un saladier de taille moyenne, réunissez le thym, le sumac et le sésame. Ajoutez l'huile et mélangez jusqu'à obtention d'une pâte.

Préchauffez le four à 350 °F (180 °C) et placez-y, dans la partie basse, une pierre de cuisson. Farinez légèrement le plan de travail et étalez la pâte en un rectangle de 30 x 20 cm (12 x 8 po). Tapissez l'abaisse du zahtar. Déposez-la sur la pierre. Laissez cuire 3 à 4 min. Servez tiède ou chaud.

Voir variantes p. 215

Sangak

Pour 6 pièces – 10 à 12 personnes.

En Iran, le sangak traditionnel est cuit dans un grand four, sur des pierres chaudes. Cette recette est une adaptation en taille réduite, destinée à nos fours classiques.

1 c. à s. de levure lyophilisée
1 ½ c. à c. de sel
385 g de farine complète

115 g de farine blanche
+ un peu pour la pelle à pizza
4 c. à s. de graines de sésame

Dans le bol du robot, délayez la levure dans 10 cl (⅓ tasse) d'eau chaude. Réservez 5 min. Ajoutez le sel et 35 cl (1 ⅓ tasse) d'eau chaude. Réservez 10 min. Incorporez progressivement la farine et 50 cl (2 tasses). Mélangez à vitesse minimale jusqu'à obtention d'une pâte souple. Placez dans un saladier huilé, couvrez d'un torchon humide et faites lever 3 h dans un endroit tiède.

Préchauffez le four à 520 °F (270 °C) et placez-y, dans la partie basse, une pierre de cuisson. Équipez le robot des crochets pétrisseurs et travaillez la pâte 5 à 6 min. Divisez-la en 6 parts. Étalez chacune en une abaisse oblongue de 0,5 cm d'épaisseur. Farinez légèrement la pelle à pizza. Déposez-y un pain. Humectez l'extrémité de vos doigts et appuyez légèrement sur la pâte, en plusieurs endroits, pour marquer des sillons. Saupoudrez de 1 c. à c. de graines de sésame et transférez délicatement sur la pierre de cuisson.

Faites cuire 3 à 4 min, en veillant, après la première minute, à aplatir le pain à l'aide de la pelle à pizza. Sortez le pain du four. Retournez-le à l'aide de pinces et enfournez 2 min de plus. Laissez refroidir sur une grille. Répétez l'opération avec les pains restants.

Voir variantes p. 216

Barbari

Pour 4 pièces – 8 à 10 personnes.

Ce pain plat tout en longueur se distingue par sa surface striée.

2 c. à c. de levure lyophilisée
550 g de farine blanche
   + un peu pour la pelle
1 ½ c. à c. de sel

3 c. à s. de sucre
40 g de beurre doux, fondu
2 c. à s. de lait
4 c. à s. de graines de sésame

Dans un petit bol, délayez la levure dans 4 c. à s. d'eau chaude. Réservez 5 min. Mettez la farine dans le bol du robot. Ménagez un puits au centre et versez-y la levure délayée, le sel, le sucre, le beurre fondu et 50 cl (2 tasses) d'eau. Mélangez à petite vitesse. Équipez le robot des crochets pétrisseurs. Travaillez la pâte 4 à 5 min ; elle doit être souple et élastique. Façonnez-la en boule et placez-la dans un bol légèrement huilé, en l'y faisant rouler pour l'imprégner de matière grasse. Couvrez d'un torchon humide et placez 1 h dans un endroit tiède ; la pâte doit doubler de volume.

Préchauffez le four à 350 °F (180 °C) et placez-y, dans la partie basse, la pierre de cuisson. Pétrissez à nouveau la pâte, puis coupez-la en 4 parts que vous façonnerez en boules. Disposez-les sur une plaque légèrement farinée, faites de nouveau lever 20 min dans un endroit tiède.

Étalez chaque boule en une abaisse oblongue de 30 x 15 cm (12 x 6 po) environ. Marquez des sillons tout le long, à intervalles de 2,5 cm (1 po), en ménageant une marge de 1 cm (⅓ po) sur le pourtour. Badigeonnez le pain avec ¼ du volume de lait et parsemez-le de 1 c. à s. de graines de sésame. Préparez les trois pains restants et laissez-les reposer une quinzaine de minutes.

Farinez légèrement la pelle à pizza. Déposez-y un pain, que vous ferez délicatement glisser sur une pierre de cuisson (il est possible, selon la taille de la pierre, de faire cuire deux pains à la fois). Faites cuire pendant 20 à 25 min ; le pain doit être doré et gonflé. Au sortir du four, laissez refroidir sur une grille.

Voir variantes p. 217

Pita

Pour 8 pièces – 3 ou 4 personnes.

Le pain pita, très populaire, fait d'excellents sandwichs, mais aussi de très bonnes chips.

1 c. à c. levure lyophilisée
115 g de farine complète
175 g de farine blanche
   + un peu pour le plan de travail et la pâte

½ c. à s. d'huile d'olive extravierge
½ c. à s. de miel liquide
1 c. à c. de sel

Dans un petit bol, délayez la levure avec 4 c. à s. d'eau chaude. Réservez 5 min. Dans un autre récipient, mélangez la farine complète et le sel. Dans le bol du robot, mélangez l'huile, le miel et 12 c. à s. d'eau tiède. Actionnez à vitesse minimale et incorporez progressivement la farine blanche et la levure. Couvrez d'un torchon et réservez environ 20 min.

Équipez le robot des crochets pétrisseurs. Travaillez la pâte, après l'avoir légèrement salée, pendant 4 à 5 min ; elle doit être souple et élastique. Déposez-la dans un saladier que vous recouvrirez d'un film. Placez 2 h dans un endroit tiède ; la pâte doit doubler de volume. Mettez-la sur un plan légèrement fariné et découpez-la en 8 parts, que vous façonnerez en boules ; farinez-les légèrement, couvrez-les d'un torchon et réservez encore 30 min.

Préchauffez le four à 465 °F (240 °C) et placez-y, dans la partie basse, la pierre de cuisson. Étalez les boules en abaisses de 15 cm (6 po) de diamètre et de 5 mm d'épaisseur. Déposez sur la pierre une feuille d'aluminium. Transférez-y les abaisses. Faites cuire 5 min. Déposez les pains sur une grille garnie d'une feuille d'aluminium où vous les envelopperez le temps qu'ils refroidissent.

Voir variantes p. 218

Lavash

Pour 8 pièces – 8 à 10 personnes.

Le lavash est un pain arménien extrêmement fin. Souple et tendre quand il est chaud, il est sec et cassant lorsqu'il refroidit.

1 c. à s. de miel liquide
½ c. à c. levure lyophilisée
385 g de farine à pain

1 c. à c. de sel
Un peu de farine blanche pour le plan de travail
et la plaque

Dans un bol, mélangez le miel et 35 cl (1 ⅓ tasse) d'eau chaude, et délayez-y la levure. Réservez 5 min. Dans le bol du robot, mettez 225 g de farine. Ménagez un puits au centre et versez-y la levure délayée. Mélangez 2 min à petite vitesse. Ajoutez le sel et la farine restante. Si la pâte est trop souple, ajoutez jusqu'à 50 g de farine, pour l'épaissir. Équipez ensuite le robot des crochets pétrisseurs et travaillez la pâte 4 à 5 min ; elle doit être souple et élastique. Mettez-la dans un grand saladier, que vous couvrirez d'un film alimentaire. Placez le tout 3 h dans un endroit tiède ; la pâte doit doubler de volume.

Repétrissez la pâte. Réservez 10 min. Déposez-la sur un plan de travail fariné et donnez-lui la forme d'un rectangle. Découpez-la en 8 carrés. Travaillez une part de pâte à la fois et conservez le reste à couvert, pour éviter le dessèchement. Étalez le premier carré en une abaisse extrêmement fine, de 30 × 25 cm (12 x 10 po). Piquez-la avec une fourchette. Déposez-la sur une plaque légèrement farinée, de manière à pouvoir délicatement la transférer sur la pierre de cuisson. Faites-la cuire 2 à 3 min ; la galette doit être légèrement brunie. Laissez refroidir sur une grille. Répétez l'opération pour le reste de pâte.

Voir variantes p. 219

Pain traditionnel à l'ail

Pour 2 pièces – 4 à 6 personnes.

Facile à réaliser, ce pain traditionnel très parfumé sera fort apprécié des amateurs d'ail.

1 tête d'ail, décalottée	2 c. à c. de levure instantanée
8 c. à s. d'huile d'olive extravierge	2 c. à c. de sel
400 g de farine à pain blanche	Un peu de farine blanche pour le plan de travail

Préchauffez le four à 375 °F (190 °C). Placez la tête d'ail sur une feuille d'aluminium. Arrosez-la de 1 c. à s. d'huile, puis enveloppez-la dans l'aluminium. Enfournez pour 45 min. Laissez refroidir, puis défaites les gousses dans un bol. Écrasez-les et incorporez-y 2 c. à s. d'huile en fouettant.

Préchauffez le four à 400 °F (200 °C) et placez-y, à mi-hauteur, la pierre de cuisson. Mettez la farine, la levure et le sel dans le bol du robot. Dans un verre gradué, mélangez le restant d'huile d'olive et 30 cl (1¼ tasse) d'eau chaude. Incorporez progressivement le liquide aux ingrédients secs, le robot travaillant à vitesse minimale. Équipez ensuite le robot des crochets pétrisseurs et travaillez la pâte 5 à 6 min ; elle doit être souple et élastique. Déposez-la dans un saladier légèrement huilé que vous couvrirez d'un film. Placez 1 h dans un endroit tiède ; la pâte doit doubler de volume.

Farinez le plan de travail et repétrissez la pâte avant de la découper en 2 parts. Étalez celles-ci en abaisses oblongues d'environ 25 x 15 cm (10 x 6 po). Marquez-les de sillons, puis recouvrez chacune d'elles de la moitié de la préparation à l'ail. Couvrez les pains avec des torchons humides et réservez 20 min.

Transférez les pains sur la pierre. Faites-les cuire 20 min. Laissez refroidir 20 min sur une grille.

Voir variantes p. 220

Pain aux graines de pavot

Pour 2 pièces – 6 à 8 personnes.

Cette excellente recette vous séduira par son subtil parfum de pavot.

375 g de farine à pain blanche
225 g de farine blanche
2 c. à c. de levure instantanée
2 c. à c. de sel

3 c. à s. de sucre
3 c. à s. d'huile d'olive extravierge
2 c. à s. de lait
4 c. à s. de graines de pavot

Dans le bol du robot, mélangez 225 g de farine à pain avec la levure, le sel et le sucre. Dans un bol à part, mélangez l'huile et 50 cl (2 tasses) d'eau. Versez le liquide sur les ingrédients secs et mélangez à petite vitesse, jusqu'à humecter toute la farine. Ajoutez progressivement le reste des farines (par 50 g), jusqu'à obtention d'un mélange homogène.

Équipez le robot des crochets pétrisseurs. Travaillez la pâte 4 à 5 min ; elle doit être souple et élastique. Mettez-la dans un grand saladier, que vous couvrirez d'un film. Placez 30 min dans un endroit tiède.

Préchauffez le four à 375 °F (190 °C). Repétrissez la pâte. Coupez-la en 2 parts. Façonnez chacune d'elles en une abaisse oblongue de 2,5 cm (1 po) d'épaisseur. Déposez-les sur une plaque à pâtisserie garnie de papier sulfurisé. Formez des sillons sur toute leur surface, couvrez d'un torchon et réservez 15 min. Marquez davantage les sillons, badigeonnez chacun des pains de 1 c. à s. de lait et parsemez-les de 2 c. à s. de graines de pavot. Enfournez pour 25 à 30 min ; les pains doivent être gonflés et dorés. Servez chaud ou à température ambiante.

Voir variantes p. 221

Matza

Recette de base p. 199

Matza aux graines de sésame
Suivez la recette de base, en parsemant le plan de travail de 115 à 225 g de graines de sésame. Pressez les deux faces de chaque part de pâte sur le plan de travail. Secouez pour enlever l'excès de graines avant d'enfourner.

Matza aux graines de pavot
Suivez la recette de base, en parsemant le plan de travail de 115 à 225 g de graines de pavot. Pressez les deux faces de chaque part de pâte sur le plan de travail. Secouez pour enlever l'excès de graines avant d'enfourner.

Matza au miel
Suivez la recette de base, en servant chaque part de matza garnie de 1 c. à s. de miel.

Matza au halva
Suivez la recette de base, en servant chaque part de matza garnie de 1 à 2 tranches de halva.

Matza au tahini
Suivez la recette de base, en servant chaque part de matza garnie de 1 c. à s. de tahini (pâte de graines de sésame).

Variantes

Man'ouché

Recette de base p. 200

Man'ouché à la feta
Suivez la recette de base, en parsemant le man'ouché de 75 g de feta
émiettée avant de l'enfourner.

Man'ouché à la tomate
Suivez la recette de base, en garnissant le dessus du man'ouché d'une petite
tomate concassée avant de l'enfourner.

Man'ouché à la menthe fraîche
Suivez la recette de base, en garnissant le dessus du man'ouché de 3 ou
4 feuilles de menthe fraîche (préalablement déchirées) avant de l'enfourner.

Man'ouché aux olives noires
Suivez la recette de base, en garnissant le dessus du man'ouché de 50 g
d'olives noires hachées avant de l'enfourner.

Man'ouché au navet confit
Suivez la recette de base, en garnissant le dessus du man'ouché de 75 g
de navet confit, coupé en tout petits dés.

Variantes

Sangak

Recette de base p. 203

Sangak aux graines de pavot
Suivez la recette de base, en remplaçant les graines de sésame par la même quantité de graines de pavot.

Sangak aux graines de nigelle
Suivez la recette de base, en remplaçant les graines de sésame par la même quantité de graines de nigelle.

Sangak au cumin
Suivez la recette de base, en remplaçant les graines de sésame par 2 c. à s. de cumin. Parsemez aussi chaque part de sangak de ½ c. à c. de cumin.

Sangak aux graines de coriandre
Suivez la recette de base, en remplaçant les graines de sésame par 2 c. à s. de graines de coriandre. Parsemez aussi chaque part de sangak de ½ c. à c. de graines de coriandre.

Sangak au carvi
Suivez la recette de base, en remplaçant les graines de sésame par 2 c. à s. de graines de carvi. Parsemez aussi chaque part de sangak de ½ c. à c. de graines de carvi.

Barbari

Recette de base p. 204

Barbari à la feta
Suivez la recette de base, en parsemant chaque barbari de 75 g de feta
émiettée avant de l'enfourner.

Barbari à la nigelle
Suivez la recette de base, en remplaçant les graines de sésame par la même
quantité de nigelle.

Barbari aux raisins secs
Suivez la recette de base, en ajoutant 50 g de raisins secs à la farine.

Barbari aux flocons d'avoine
Suivez la recette de base, en supprimant les graines de sésame. Parsemez
chaque barbari de 2 c. à s. de flocons d'avoine.

Barbari aux graines de tournesol
Suivez la recette de base, en remplaçant les graines de sésame par la même
quantité de graines de tournesol.

Pita

Recette de base p. 207

Chips de pita à l'ail
Préchauffez le four à 350 °F (180 °C). Partagez le pain pita en 6 parts, que vous disposerez sur une plaque à pâtisserie. Garnissez chaque part d'un petit peu d'huile d'olive et saupoudrez de sel d'ail. Enfournez pour 5 à 7 min ; les pains pita doivent être croquants.

Pita à l'hoummos
Suivez la recette de base, en servant chaque pain pita garni de 2 c. à s. d'hoummos.

Pita au tzatziki
Suivez la recette de base, en servant chaque pain pita garni de 2 c. à s. de tzatziki.

Pita à la farine complète
Suivez la recette de base, en remplaçant la farine blanche par la même quantité de farine complète.

Pita au dip de yaourt à la menthe
Suivez la recette de base, en servant chaque pain pita avec un dip fait de 1 c. à s. et menthe ciselée, de 2 c. à s. de yaourt et d'une pincée de sel.

Lavash

Recette de base p. 208

Lavash aux graines de sésame grillées
Suivez la recette de base, en ajoutant à la pâte, en même temps que
la farine, ½ c. à c. de graines de sésame grillées.

Lavash aux graines de pavot
Suivez la recette de base, en ajoutant à la pâte, en même temps que
la farine, 1 c. à c. de graines de pavot.

Lavash aux graines de tournesol
Suivez la recette de base, en ajoutant à la pâte, en même temps que
la farine, 1 c. à c. de graines de tournesol.

Lavash au cumin
Suivez la recette de base, en ajoutant à la pâte, en même temps que
la farine, ½ c. à c. de cumin légèrement écrasé.

Lavash au sumac
Suivez la recette de base, en ajoutant à la pâte, en même temps que
la farine, ½ c. à c. de sumac moulu.

Variantes

Pain traditionnel à l'ail

Recette de base p. 211

Pain traditionnel à l'ail et au fromage
Suivez la recette de base, en parsemant le pain, déjà garni d'ail, de 3 c. à s.
de parmesan finement râpé.

Pain traditionnel à l'ail et au thym
Suivez la recette de base, en ajoutant à la préparation à l'ail rôti ¼ c. à c. de
thym séché et moulu.

Pain traditionnel à l'ail et au romarin
Suivez la recette de base, en ajoutant à la préparation à l'ail rôti ¼ c. à c. de
romarin séché et moulu.

Pain traditionnel à l'ail et au poivre rose
Suivez la recette de base, en ajoutant à la pâte 1 c. à c. de poivre rose moulu
juste avant de la pétrir au robot.

Pain traditionnel à l'ail et au persil
Suivez la recette de base, en ajoutant à la préparation à l'ail rôti 4 c. à s. de
persil plat finement ciselé.

Variantes

Pain aux graines de pavot

Recette de base p. 212

Pain aux graines de pavot et à l'ail
Suivez la recette de base, en parsemant le pain en même temps de graines
de pavot et de 1 gousse d'ail écrasée.

Pain aux graines de pavot et aux graines de céleri
Suivez la recette de base, en garnissant le pain en même temps de graines
de pavot et de ¼ c. à c. de graines de céleri.

Pain aux graines de pavot et au paprika fumé
Suivez la recette de base, en ajoutant à la pâte ¼ c. à c. de paprika fumé
juste avant de la pétrir au robot.

Pain aux graines de pavot et au cumin
Suivez la recette de base, en ajoutant à la pâte ¼ c. à c. de cumin en poudre
juste avant de la pétrir au robot.

Pain aux graines de pavot et à la cardamome
Suivez la recette de base, en ajoutant à la pâte ¼ c. à c. de cardamome en
poudre juste avant de la pétrir au robot.

Pains plats
des Amériques

Dans toutes les régions des Amériques, les premiers

hommes ont eu l'idée de moudre le grain, de

le mélanger à de l'eau et de faire cuire le tout.

Certaines de ces préparations perdurent ; voici

les recettes des meilleures d'entre elles.

Tortilla au blé

Pour 8 pièces – 3 ou 4 personnes.

Cette préparation permet aussi de réaliser des burritos et des quesadillas. À vos poêles !

250 g de farine non blanchie (T55)
¼ c. à c. de sel

3 c. à s. d'huile de maïs
Un peu de farine blanche pour le plan de travail

Dans le bol du robot, mettez la farine et le sel. Ajoutez progressivement l'huile et mélangez jusqu'à homogénéité. Incorporez 8 c. à s. d'eau chaude, tout en continuant à mélanger à vitesse minimale. Lorsque la pâte commence à se former, ajoutez jusqu'à 4 c. à s. d'eau pour former un ensemble à consistance souple.

Équipez le robot des crochets pétrisseurs et travaillez la pâte 1 à 2 min. Transférez-la sur un plan fariné et découpez-la en 8 parts que vous façonnerez en disques de 8 cm (3 po) de diamètre. Placez-les sur une plaque à pâtisserie, couvrez d'un film alimentaire et réservez 30 min.

À l'aide d'une presse à tortilla ou d'un rouleau à pâtisserie, étalez les disques de pâte en abaisses de 20 cm (8 po) de diamètre.

Préchauffez à feu moyen une grande poêle en fonte ou une poêle antiadhésive. Placez-y la première tortilla. Faites-la cuire moins de 1 min de chaque côté ; les deux surfaces doivent présenter des taches brunes. Répétez l'opération avec le reste de pâte. Empilez les tortillas et conservez-les au chaud soit dans un chauffe-tortilla, soit dans un torchon propre.

Voir variantes p. 242

Tortilla à la masa harina

Pour 16 pièces – 6 à 8 personnes.

Au Mexique, la masa harina est obtenue en ramollissant le maïs par un trempage dans de l'eau additionnée de chaux vive. Pour sauter cette étape, achetez de la pâte toute prête dans une épicerie fine ou sur un site spécialisé de vente en ligne.

275 g de masa harina (pâte de farine de maïs)
Un peu de farine blanche pour le plan de travail

Dans le bol du robot, versez la masa harina et 30 cl (1¼ tasse) d'eau chaude. Mélangez à petite vitesse jusqu'à formation d'une pâte. Ajoutez ce qu'il faut d'eau ou de farine pour que l'ensemble se tienne sans être trop collant.

Équipez le robot des crochets pétrisseurs et travaillez la pâte 1 à 2 min. Transférez-la sur un plan fariné et découpez-la en 16 parts que vous façonnerez en disques de 5 cm (2 po) de diamètre. À l'aide d'une presse à tortilla ou d'un rouleau à pâtisserie, étalez les disques de pâte en abaisses de 15 cm (6 po) de diamètre.

Préchauffez à feu moyen une grande poêle en fonte ou une poêle antiadhésive. Placez-y la première tortilla. Ne la laissez pas cuire plus de 1 min de chaque côté ; les deux surfaces doivent présenter des taches brunes. Répétez l'opération avec le reste de pâte. Empilez les tortillas et conservez-les au chaud soit dans un chauffe-tortilla, soit dans un torchon propre.

Voir variantes p. 243

Bannock

Pour 4 pièces – 2 à 4 personnes.

Originaire d'Écosse, le bannock peut être cuit dans une poêle en fonte au-dessus d'un feu de camp, mais aussi à 8 cm (3 po) au-dessus des flammes, enroulé autour d'un bâton.

115 g de farine blanche	3 c. à s. de beurre doux
1 c. à c. de levure chimique	Un peu de farine pour le plan de travail
¾ c. à s. de sel	

Dans un grand saladier, mélangez la farine, la levure et le sel. Incorporez le beurre du bout des doigts, de sorte à obtenir une mixture granuleuse. Ajoutez 12 cl (½ tasse) d'eau (un peu plus, si besoin) et mélangez de manière à former une pâte relativement dure, qui se tienne.

Faites chauffer à feu moyen une poêle en fonte ou une poêle antiadhésive légèrement huilée.

Sur un plan de travail légèrement fariné, découpez la pâte en 4 parts que vous façonnerez en disques de 1 cm (⅓ po) d'épaisseur. Disposez la première abaisse dans la poêle et laissez cuire 5 à 7 min de chaque côté. Répétez l'opération pour le reste de pâte.

Servez chaud avec du beurre ou tout autre accompagnement.

Voir variantes p. 244

Pain frit

Pour 10 pièces – 4 ou 5 personnes.

Ce pain frit – une spécialité navajo – est généralement servi lors de pow-wows ou à l'occasion des divers rassemblements des Indiens d'Amérique du Nord.

350 g de farine non blanchie (T55)
1 c. à s. de levure chimique
1 pincée de bicarbonate de soude
1 c. à c. de sel

17,5 cl (12 c. à s.) de lait entier
1 c. à s. d'huile de colza
  (et davantage pour la friture)
Un peu de farine pour le plan de travail

Dans le bol du robot, mélangez la farine, la levure, le bicarbonate de soude et le sel. Ajoutez progressivement le lait et autant d'eau chaude, en mélangeant à vitesse minimale.

Équipez ensuite le robot des crochets pétrisseurs et travaillez la pâte 2 à 3 min ; elle doit être souple. Déposez-la dans un saladier légèrement huilé et faites l'y rouler, afin de l'imprégner uniformément de matière grasse. Couvrez d'un film alimentaire et réservez 30 min.

Sur un plan de travail légèrement fariné, découpez la pâte en 10 parts que vous façonnerez en disques de 12 cm (4 ¾ po) de diamètre et de 5 mm d'épaisseur.

Remplissez une poêle d'huile de colza sur 5 cm (2 po) de hauteur. Lorsque l'huile est bien chaude, faites-y frire la première abaisse 1 min de chaque côté ; les deux surfaces doivent être joliment dorées. Déposez sur du papier absorbant pour éliminer l'excès d'huile et servez chaud.

Voir variantes p. 245

Gordita

Pour 6 pièces – 2 ou 3 personnes.

Les gorditas sont des pains garnis particulièrement appréciés dans la région de Durango, au Mexique. Le mot *gordita* signifie – à juste titre, d'ailleurs – «petite grassouillette».

150 g de masa harina
1 ½ c. à c. de sel
1 ½ c. à c. de levure chimique
2 c. à s. de farine blanche
   + un peu pour le plan de travail
225 g de viande de bœuf maigre, hachée

½ oignon doux, finement haché
Poivre noir, fraîchement moulu
1 pincée de piment en poudre
175 g de fromage, type cheddar, râpé
Huile de colza (pour la friture)

Dans le bol du robot, mettez la masa harina, ½ c. à c. de sel, la levure, la farine et 20 cl (¾ tasse) d'eau chaude, et mélangez à petite vitesse. Ajoutez si besoin un peu d'eau ou de farine, afin d'obtenir un ensemble qui se tienne, sans être collant. Équipez le robot des crochets pétrisseurs et travaillez la pâte 1 à 2 min. Couvrez d'un film alimentaire et réservez 30 min.

Dans une grande poêle en fonte, faites rissoler 4 à 5 min, à feu moyen, les oignons et le bœuf. Ajoutez le reste des ingrédients, à l'exception du fromage.

Préchauffez le four à 350 °F (180 °C). Sur un plan légèrement fariné, découpez la pâte en 6 parts que vous façonnerez en disques de 6 cm (2 ½ po) de diamètre et de 5 mm d'épaisseur. Couvrez-les d'un torchon. Faites frire une première abaisse dans une poêle remplie d'huile sur une hauteur de 5 cm (2 po), pas plus de 1 min chaque côté, en prenant soin de constamment arroser d'huile chaude sa face supérieure. Utilisez des pinces pour la

déposer sur du papier absorbant pour éponger l'excès de gras. Procédez de même avec le reste de pâte. Coupez les gorditas en deux dans le sens de l'épaisseur. Garnissez-les de la préparation à la viande (5 c. à s. par pièce), replacez les chapeaux et parsemez de fromage râpé. Disposez dans un plat allant au four et conservez au chaud dans un four préchauffé à 250 °F (120 °C).

Voir variantes p. 246

Arepa

Pour 8 pièces – 3 ou 4 personnes.

Les arepas sont une spécialité vénézuélienne. On peut les manger telles quelles, pour remplacer le pain, ou les garnir pour en faire des sandwichs.

275 g de masa harina
½ c. à c. de sel

2 c. à s. d'huile de colza
Un peu de farine pour le plan de travail

Préchauffez le four à 400 °F (200 °C).

Dans le bol du robot, versez la masa harina et le sel. Ajoutez progressivement 60 cl (2 ⅓ tasses) deau chaude et mélangez à petite vitesse jusqu'à formation d'une pâte. Réservez 5 min. Équipez le robot des crochets pétrisseurs et travaillez la pâte 1 à 2 min. Transférez-la sur un plan fariné et découpez-la en 8 parts que vous façonnerez en disques de 8 cm (3 po) de diamètre et de 2 cm (¾ po) d'épaisseur.

Préchauffez une grande poêle avec l'huile. Faites frire 1 ou 2 pièces à la fois (pendant ce temps, couvrez les autres d'un torchon, pour éviter qu'elles ne se dessèchent) 3 à 4 min de chaque côté, en les retournant plusieurs fois ; les pains doivent être dorés et bien croustillants. Déposez-les sur du papier absorbant pour éponger l'excès de gras. Répétez l'opération pour le reste de pâte.

Disposez les arepas sur une plaque à pâtisserie et enfournez dans un four préchauffé à 250 °F (120 °C) pour 15 min. Servez chaud ou à température ambiante.

Voir variantes p. 247

Galette jamaïcaine

Pour 3 pièces – 3 à 6 personnes.

Ce pain jamaïcain à base de manioc est imprégné de lait de coco, puis légèrement rissolé. Il est traditionnellement servi en accompagnement de poisson frit.

450 g de manioc	40 g de beurre doux
1 pincée de sel	22,5 cl (1 tasse) de lait de coco

Pelez et râpez finement le manioc. Enrobez-le de papier absorbant et épongez bien, afin d'éliminer l'excès d'humidité. Salez et divisez en 3 parts. Façonnez chacune des parts en un cercle de 15 cm (6 po) de diamètre et de 1 cm (⅓ po) d'épaisseur.

Faites fondre 15 g de beurre dans une poêle. Déposez-y une pièce de manioc et faites cuire à feu moyen 9 à 10 min.

Placez la galette dans un plat légèrement creux. Arrosez-la de lait de coco et réservez 5 à 10 min.

Remettez la galette dans la poêle et faites-la de nouveau cuire 3 à 4 min de chaque côté ; les deux surfaces doivent être également dorées. Procédez de même pour les autres pièces. Servez chaud.

Voir variantes p. 248

Pain à la farine de maïs

Pour 1 pièce – 6 à 8 personnes.

Le pain à la farine de maïs, originaire des États-Unis, constitue un accompagnement idéal pour des plats en sauce épicés et relevés.

40 g de graisse végétale ou de lard
2 gros œufs
215 g de farine de maïs
1 c. à c. de sel

½ c. à c. de bicarbonate de soude
30 cl (1¼ tasse) de babeurre

Préchauffez le four à 400 °F (200 °C). Le pain à la farine de maïs peut se cuire dans une poêle en fonte de 25 cm (10 po) de diamètre munie d'un manche résistant à la chaleur ou dans un grand plat rectangulaire de 33 × 23 cm (13 x 9 po). Les deux contenants doivent être enduits de graisse végétale ou de lard fondu.

Cassez les œufs dans le bol du robot et fouettez jusqu'à consistance mousseuse. Ajoutez la farine de maïs, le sel et le bicarbonate de soude. Incorporez ensuite le babeurre, jusqu'à obtention d'un mélange homogène.

Faites tournoyer la poêle afin de la tapisser uniformément de matière grasse et versez le surplus dans la pâte. Mélangez bien avant de verser la pâte dans la poêle ou dans le plat et enfournez pour 25 à 30 min ; le pain doit être ferme et se décoller légèrement des parois du contenant. Découpez et servez sans attendre.

Voir variantes p. 249

Sope

Pour 12 pièces – 6 à 8 personnes.

Le sope est une petite galette mexicaine que l'on peut agrémenter de mille garnitures, plus délicieuses les unes que les autres.

425 g de masa harina	¼ c. à c. de sel
150 g de maïs, en conserve ou surgelé	Poivre blanc, fraîchement moulu
115 g de graisse végétale, ramollie	Un peu de farine pour le plan de travail

Dans le bol du robot, mettez la masa harina, le maïs, la matière grasse, le sel et 3 c. à s. d'eau. Mélangez avec la palette jusqu'à la formation d'une pâte. Ajoutez, si besoin, un peu d'eau, pour que l'ensemble se tienne, sans coller. Équipez le robot des crochets pétrisseurs et travaillez la pâte 3 à 4 min ; elle doit être souple.

Sur un plan légèrement fariné et à l'aide d'un rouleau à pâtisserie, étalez la pâte en une abaisse de 2,5 cm (1 po). Avec un emporte-pièce, découpez-y des cercles de 10 cm (4 po) de diamètre.

Préchauffez une grande poêle en fonte ou une poêle antiadhésive à feu moyen. Faites cuire les sopes, un par un, pendant 3 min de chaque côté. Égouttez-les sur du papier absorbant et saupoudrez-les d'un peu de poivre blanc. Répétez l'opération pour le reste de pâte.

Si vous souhaitez servir les sopes chauds, disposez-les sur une plaque à pâtisserie légèrement huilée et glissez-les dans un four préchauffé à 275 °F (140 °C).

Voir variantes p. 250

Pupusa

Pour 25 pièces – 8 à 10 personnes.

Originaire du Salvador, la pupusa est un pain plat garni à base de maïs. On la sert avec une sauce piquante et du curtido, qui s'apparente au coleslaw anglais.

700 g de masa harina
400 g de frijoles refritos
  (haricots frits en purée)

350 g de mozzarella râpée
De l'huile d'olive extravierge
Un peu de farine pour le plan de travail

Dans le bol du robot, mettez la masa harina et 1 l d'eau. Mélangez jusqu'à la formation d'une pâte. Sur un plan de travail légèrement fariné, découpez la pâte en 25 parts que vous façonnerez chacune en un disque de 1 cm (⅓ po) d'épaisseur. Déposez au centre de chaque disque 1 c. à s. de frijoles refritos et 2 c. à s. de mozzarella râpée. Refermez à la manière d'une aumônière et aplatissez à nouveau l'ensemble, de manière à emprisonner la garniture dans la pâte.

Enduisez légèrement une poêle en fonte ou une poêle antiadhésive d'huile d'olive et préchauffez-la à feu moyen. Faites cuire les pupusas une par une, 4 à 5 min de chaque côté ; elles doivent être fermes, mais bien dorées. Égouttez-les sur du papier absorbant. Répétez l'opération pour tous les disques de pâte.

Disposez les pupusas cuites sur une plaque légèrement huilée et conservez au chaud dans un four préchauffé à 250 °F (120 °C).

Voir variantes p. 251

Variantes

Tortilla au blé

Recette de base p. 223

Tortilla aux herbes
Suivez la recette de base, en l'agrémentant de ½ c. à c. d'herbes aromatiques italiennes.

Tortilla aux tomates confites
Suivez la recette de base, en l'agrémentant de 1 c. à s. de pesto rouge (à la tomate).

Chips de tortilla au blé
Suivez la recette de base. Lorsque les tortillas sont refroidies, coupez-les en deux, puis recoupez chaque moitié en quatre, de manière à avoir 8 parts. Préchauffez le four à 350 °F (180 °C). Disposez les morceaux de tortilla sur une plaque à pâtisserie sans les faire se chevaucher. Enfournez pour 10 à 12 min.

Chips de tortilla épicées
Suivez la recette de base. Lorsque les tortillas sont refroidies, coupez-les en deux, puis recoupez chaque moitié en quatre, de manière à avoir 8 parts. Préchauffez le four à 350 °F (180 °C). Disposez les morceaux de tortilla sur une plaque à pâtisserie sans les faire se chevaucher. Badigeonnez-les d'huile d'olive et saupoudrez-les d'une pincée d'épices cajun ou d'épices à barbecue. Enfournez pour 10 à 12 min.

Tortilla à la masa harina

Recette de base p. 224

Chips de tortilla à la masa harina
Suivez la recette de base. Lorsque les tortillas sont refroidies, coupez-les en
deux, puis recoupez chaque moitié en quatre, de manière à avoir 8 parts.
Préchauffez le four à 350 °F (180 °C). Disposez les morceaux de tortilla sur une
plaque à pâtisserie sans les faire se chevaucher. Enfournez pour 10 à 12 min.

Chips de tortilla à la masa harina et aux piments
Suivez la recette de base, en ajoutant une pincée de copeaux de piments
rouges séchés à la masa harina.

Chips de tortillas à la masa harina et aux poivres
Suivez la recette de base, en ajoutant ¼ c. à c. d'un mélange de poivres
fraîchement moulus à la masa harina.

Tortilla à la farine de maïs bleu
Suivez la recette de base, en remplaçant la masa harina par 150 g de farine
de maïs bleu et 115 g de farine blanche.

Variantes

Bannock

Recette de base p. 227

Bannock aux myrtilles
Suivez la recette de base, en garnissant chaque disque de pâte de 25 g
de myrtilles fraîches.

Bannock aux raisins
Suivez la recette de base, en garnissant chaque disque de pâte de 40 g
de raisins.

Bannock aux airelles
Suivez la recette de base, en garnissant chaque disque de pâte de 25 g
d'airelles surgelées.

Bannock à la cannelle
Suivez la recette de base, en agrémentant la farine de ¼ c. à c. de cannelle
moulue.

Variantes

Pain frit

Recette de base p. 228

Pain frit à la confiture de myrtilles sauvages
Suivez la recette de base, en servant chaque pain garni de 2 c. à s.
de confiture de myrtilles sauvages.

Pain frit au sirop d'érable
Suivez la recette de base, en servant chaque pain arrosé de 1 c. à s. de sirop
d'érable.

Pain frit à la sauce tomate fraîche
Suivez la recette de base, en servant chaque pain garni de 2 c. à s. de sauce
tomate fraîche.

Pain frit au sucre et au jus de citron
Suivez la recette de base, en servant chaque pain saupoudré de 1 c. à c.
de sucre en poudre et arrosé de ½ c. à c. de jus de citron frais.

Variantes

Gordita

Recette de base p. 230

Gordita à la farine complète
Suivez la recette de base, en remplaçant 65 g de la masa harina par ½ tasse
de farine complète.

Gordita aux champignons
Suivez la recette de base, en remplaçant la garniture au bœuf par 4 c. à s.
de fricassée de champignons en persillade.

Gordita au poulet
Suivez la recette de base, en remplaçant la garniture au bœuf par 4 c. à s.
de poulet émietté et 1 c. à s. de sauce tomate.

Gordita à la sauce verte
Suivez la recette de base, en garnissant chaque gordita de bœuf
et de 1 c. à s. de sauce verte

Variantes

Arepa

Recette de base p. 233

Arepa à la farine de maïs bleu
Suivez la recette de base, en remplaçant la masa harina par 150 g de farine de maïs bleu et 115 g de farine blanche.

Arepa aux œufs brouillés
Suivez la recette de base, en coupant chaque arepa en deux, dans l'épaisseur, avant de la garnir de 2 à 3 c. à s. d'œufs brouillés.

Arepa à la farine complète
Suivez la recette de base, en remplaçant 150 g de la masa harina par 125 g de farine complète.

Arepa à la noix de coco
Suivez la recette de base, en ajoutant environ 3 c. à s. de noix de coco râpée à la masa harina.

Variantes

Galette jamaïcaine

Recette de base p. 234

Galette jamaïcaine au manioc et à la pomme de terre
Suivez la recette de base, en remplaçant 175 g du manioc râpé par la même quantité de pomme de terre finement râpée.

Galette jamaïcaine au manioc et à la patate douce
Suivez la recette de base, en remplaçant 175 g du manioc râpé par la même quantité de patate douce finement râpée.

Galette jamaïcaine au manioc et à la betterave
Suivez la recette de base, en remplaçant 175 g du manioc râpé par la même quantité de betterave finement râpée.

Galette jamaïcaine au manioc et à la carotte
Suivez la recette de base, en remplaçant 175 g du manioc râpé par la même quantité de carotte finement râpée.

Variantes

Pain à la farine de maïs

Recette de base p. 237

Pain au maïs et au piment de Cayenne
Suivez la recette de base, en ajoutant à la farine de maïs une pincée
de piment de Cayenne.

Pain au maïs et au piment rouge
Suivez la recette de base, en ajoutant à la farine de maïs ½ piment rouge,
coupé en petits morceaux.

Pain au maïs et au fromage
Suivez la recette de base, en ajoutant 40 g de cheddar (ou de tout autre
fromage similaire) à la farine de maïs. Parsemez aussi la pâte de 25 g
de fromage râpé avant de la faire cuire.

Pain au maïs et à la coriandre
Suivez la recette de base, en ajoutant 1 c. à c. de coriandre séchée
ou 1 c. à s. de feuilles de coriandre fraîche finement ciselées à la farine
de maïs.

Sope

Recette de base p. 238

Sope au piment

Suivez la recette de base, en ajoutant ½ c. à c. de copeaux de piment écrasés
à la masa harina.

Sope au guacamole

Suivez la recette de base, en garnissant chaque sope de 4 c. à s.
de guacamole et de 2 à 3 feuilles de coriandre fraîche.

Sope au porc haché

Suivez la recette de base, en garnissant chaque sope de 3 c. à s. de porc
haché et de 2 c. à s. de sauce tomate.

Sope aux olives vertes

Suivez la recette de base, en garnissant chaque sope de 2 c. à s. d'un hachis
d'olives vertes.

Sope au poulet

Suivez la recette de base, en garnissant chaque sope de 3 c. à s. de poulet
émietté et de 2 c. à s. de sauce tomate.

Variantes

Pupusa

Recette de base p. 241

Pupusa au riz
Suivez la recette de base, en remplaçant 150 g de la masa harina par
la même quantité de farine de riz.

Pupusa au chicharron
Suivez la recette de base, en remplaçant les frijoles refritos par du
chicharron.
Préparation du «chicharron» (ou couenne de porc soufflée): tranchez 450 g
de couenne de porc en lamelles de 5 cm (2 po) de côté et parsemez-les de
sel. Couvrez et placez 1 h au frais. Faites frire les lamelles 5 à 6 min; elles
doivent être croustillantes. Égouttez sur du papier absorbant.

Pupusa à la sauce verte
Suivez la recette de base, en garnissant le dessus de chaque pupusa
de 1 c. à s. de sauce verte.

Pupusa au fromage et aux herbes
Suivez la recette de base, en supprimant les haricots. Ajoutez à chaque
pupusa, en même temps que la mozzarella, 1 c. à s. de coriandre fraîche
finement ciselée.

Pizzas et pains sucrés

Envie d'un dessert qui sorte de l'ordinaire ? Vous trouverez votre bonheur parmi ces recettes, aussi savoureuses que variées.

Pizza au chocolat

Pour 1 pizza de 25 cm (10 po) de diamètre – 4 à 6 personnes.

Ce dessert facile à réaliser est toujours très apprécié des amateurs de chocolat.

1 pâte à pizza fine (¹/₃ des proportions
   de la recette p. 17)
2 c. à c. de beurre doux, fondu
5 c. à s. de sauce au chocolat (du commerce)

40 g de pépites de chocolat blanc
40 g de pépites de chocolat au lait
Un peu de farine pour la pelle

Préchauffez le four à 450 °F (230 °C) et placez-y, dans la partie basse, la pierre de cuisson.

Abaissez la pâte à pizza en un disque de 25 cm (10 po) de diamètre. Déposez l'abaisse sur une pelle à pizza légèrement farinée. Marquez-la de sillons et badigeonnez-la de beurre fondu. Faites délicatement glisser la pâte sur la pierre de cuisson. Faites cuire 15 à 20 min ; la pâte doit être gonflée et dorée.

Tapissez la pâte de sauce au chocolat, saupoudrez de pépites de chocolat et réenfournez pour 1 à 2 min ; les pépites doivent être juste fondues.

Laissez refroidir sur une grille. Servez chaud ou à température ambiante.

Voir variantes p. 272

Pizza à la pomme et aux airelles

Pour une pizza de 30 cm (12 po) de diamètre – 4 à 6 personnes.

Aussi surprenant que cela puisse paraître, les fruits font de sensationnelles garnitures pour pizza !

1 pâte à pizza fine (1/3 des proportions
   de la recette p. 17)
50 g d'airelles séchées
4 pommes moyennes, pelées, évidées
   et finement émincées

3 c. à s. de sucre brun
25 g de beurre doux, fondu
2 c. à c. de jus de citron frais
1 c. à c. de cannelle en poudre
Un peu de farine pour la pelle

Préchauffez le four à 450 °F (230 °C) et placez-y, dans la partie basse, la pierre de cuisson pour pizza.

Abaissez la pâte à pizza en un disque de 30 cm (12 po) de diamètre. Déposez l'abaisse sur une pelle à pizza légèrement farinée. Garnissez-la d'airelles séchées.

Dans un saladier de taille moyenne, mélangez les pommes émincées, le sucre, le beurre, le jus de citron et la cannelle. Disposez par-dessus les airelles. Faites délicatement glisser la pizza sur la pierre de cuisson. Faites-la cuire 15 à 20 min ; la pâte doit être gonflée et dorée.

Laissez refroidir sur une grille. Servez chaud ou à température ambiante.

Voir variantes p. 273

Pizza au streusel

Pour 1 pizza de 30 cm (12 po) de diamètre – 4 à 6 personnes.

Une vraie pizza gourmande, au fromage frais et aux fraises, recouverte d'une pâte croustillante à souhait.

1 pâte à pizza fine (⅓ des proportions
   de la recette p. 17)
115 g de fromage frais (type Kiri), ramolli
1 gros œuf, pour le jaune
¼ c. à c. d'extrait de vanille

1 ½ c. à c. de sucre
75 g de fraises, équeutées
60 g de sucre roux
25 g de beurre doux, fondu
1 c. à s. de farine blanche

Préchauffez le four à 400 °F (200 °C).

Garnissez un moule à pizza de 30 cm (12 po) de diamètre de papier sulfurisé. Étalez la pâte à pizza en un disque de 30 cm (12 po) de diamètre.

Dans un saladier de taille moyenne, mélangez le fromage frais, le jaune d'œuf, la vanille et le sucre, jusqu'à consistance crémeuse. Dans un autre récipient, mélangez du bout des doigts le sucre roux, le beurre et la farine, pour le streusel ; vous obtiendrez un appareil de consistance granuleuse. Tapissez la pizza de la préparation au fromage frais, disposez par-dessus les fraises et parsemez du streusel.

Enfournez à mi-hauteur du four pour 25 à 30 min ; la pâte doit être cuite et le streusel croustillant. Servez chaud ou à température ambiante.

Voir variantes p. 274

Pain à la vanille

Pour 2 pièces – 6 à 8 personnes.

Ce pain délicieusement parfumé à la vanille se déguste de préférence à l'heure du thé.

Pâte
2 ½ c. à c. de levure lyophilisée
50 g de sucre + ½ c. à c.
300 g de farine blanche
   + un peu pour le plan
   de travail

5 c. à s. de lait entier
1 pincée de sel
4 c. à c. d'extrait de vanille
1 gousse de vanille
3 gros œufs
115 g de beurre doux, ramolli

Glaçage
1 ½ c. à s. de beurre doux,
   fondu
1 c. à c. d'extrait de vanille
50 g de sucre semoule

Dans un saladier, délayez la levure dans 12 cl (½ tasse) d'eau chaude additionnée de ½ c. à c. de sucre. Réservez 5 min ; le mélange doit être mousseux. Ajoutez 40 g de farine et mélangez jusqu'à homogénéité. Couvrez de film alimentaire et réservez 30 min.

Faites chauffer le lait à feu doux. Ajoutez-y le reste de sucre et le sel. Ôtez du feu et laissez refroidir 2 à 3 min. Versez dans le bol du robot. Ajoutez l'extrait de vanille, la gousse coupée en deux dans la longueur et les œufs, et mélangez à vitesse minimale jusqu'à homogénéité. Incorporez la levure délayée, puis la farine (par 75 g) et le beurre coupé en morceaux.

Équipez le robot des crochets pétrisseurs et travaillez la pâte 4 à 5 min ; elle doit être souple et un peu collante. Transférez-la dans un bol légèrement huilé, couvrez d'un film et placez 1 h 30 à 2 h dans un endroit tiède ; la pâte doit doubler de volume. Tapissez deux grandes plaques à pâtisserie de papier sulfurisé. Sur un plan de travail fariné, coupez la pâte en 2 parts

que vous façonnerez en abaisses oblongues de 20 à 23 cm (8 à 9 po) de long. Disposez les pains sur le papier sulfurisé, couvrez d'une serviette en papier et remettez 1 h dans un endroit tiède.

Préchauffez le four à 375 °F (190 °C). Mélangez le beurre et l'extrait de vanille. Badigeonnez-en le dessus des pains, que vous parsèmerez de 2 c. à s. de sucre semoule. Enfournez pour 25 min ; ils doivent être bien dorés. Servez tiède ou à température ambiante.

Vor variantes p. 275

Pain frit sucré

Pour 24 pièces – 10 à 12 personnes.

Très proches en texture des donuts, ces pains frits plairont au plus grand nombre.

5 c. à s. de sucre
5 c. à c. de levure lyophilisée
225 g de sucre + 1 pincée
25 cl (1 tasse) de lait chaud
1 c. à c. d'extrait de vanille
2 gros œufs

5 c. à s. d'huile de colza
450 à 550 g de farine blanche
  + un peu pour le plan de travail
5 c. à s. de sel
Huile de colza pour la friture
225 g de sucre

Dans le bol du robot, délayez la levure dans 12 cl (½ tasse) d'eau chaude additionnée d'une pincée de sucre. Réservez 5 min ; le mélange doit mousser. Équipez le robot de la palette, puis ajoutez le sucre, le lait, la vanille, les œufs et l'huile. Mélangez. Incorporez le sel et la farine, jusqu'à obtention d'une pâte souple et élastique. Couvrez d'un film alimentaire et laissez reposer 1 h.

Sur un plan de travail fariné, découpez la pâte en 24 parts de la taille d'un œuf. Façonnez-les en boules que vous étalerez en abaisses ovales de 15 cm (6 po) de largeur et de 3 mm d'épaisseur. Couvrez au fur et à mesure, pour éviter que la pâte ne se dessèche.

Faites chauffer une poêle remplie d'huile à hauteur de 5 cm (2 po) et faites-y frire les disques de pâte 1 min de chaque côté. Disposez sur du papier absorbant pour éliminer l'excès de gras. Mettez le reste de sucre dans un grand saladier. Roulez-y les pains puis secouez-les légèrement pour ôter l'excès de sucre. Servez tiède.

Voir variantes p. 276

Pain au citron et aux airelles

Pour 2 pièces – 6 à 8 personnes.

Voici un pain de consistance très agréable et délicieusement relevé !

2 ½ c. à c. de levure lyophilisée
50 g de sucre + ½ c. à c.
300 g de farine blanche
   + un peu pour le plan de travail
5 c. à s. de lait entier
1 pincée de sel

3 gros œufs
115 g de beurre doux, ramolli et coupé
   en 8 morceaux
1 gros citron, pour le jus et pour le zeste,
   finement râpé
50 g d'airelles séchées

Délayez la levure dans 12 cl (½ tasse) d'eau chaude additionnée de ½ c. à c. de sucre. Réservez 5 min. Ajoutez 40 g de farine et mélangez bien. Couvrez d'un film et réservez 30 min. Faites chauffer le lait à feu doux. Ajoutez-y le reste de sucre et le sel. Laissez refroidir 2 à 3 min. Versez dans le bol du robot. Ajoutez les œufs et mélangez à petite vitesse jusqu'à homogénéité. Incorporez l'appareil à la levure, puis la farine (75 g à la fois). Ajoutez les morceaux de beurre l'un après l'autre et terminez par le zeste et le jus de citron, et les airelles. Équipez le robot des crochets pétrisseurs et travaillez la pâte 4 à 5 min ; elle doit être souple et collante. Placez-la dans un saladier légèrement huilé, couvrez d'un film et placez 1 h 30 à 2 h dans un endroit tiède ; elle doit doubler de volume.

Garnissez deux grandes plaques à pâtisserie de papier sulfurisé. Sur un plan de travail fariné, découpez la pâte en 2 parts que vous façonnerez en abaisses oblongues de 20 à 23 cm (8 à 9 po) de longueur. Disposez sur les plaques, couvrez de serviettes et remettez 1 h dans un endroit tiède.

Préchauffez le four à 375 °F (190 °C). Enfournez les pains pour 25 min ; ils doivent être bien dorés.

Voir variantes p. 277

Pizza-brownie à la glace vanille

Pour 1 pizza de 30 cm (12 po) de diamètre – 4 à 6 personnes.

Voici la plus savoureuse des récompenses pour un amateur de brownie !

Base
50 g de farine blanche
½ c. à c. de levure chimique
½ c. à c. de sel
75 g de chocolat noir (à 70 % minimum), en morceaux

50 g de beurre doux
225 g de sucre
2 gros œufs, légèrement battus
1 c. à c. d'extrait de vanille

Garniture
50 cl (2 tasses) de crème fleurette
1 c. à s. de sucre glace
50 cl (2 tasses) de glace à la vanille
4 c. à s. de bonbons divers, pour la décoration

Préchauffez le four à 350 °F (180 °C). Garnissez un moule à pizza de 1 cm (⅓ po) de profondeur de papier sulfurisé. Dans un petit saladier, mélangez la farine, la levure et le sel. Au bain-marie, faites fondre le chocolat et le beurre. Mélangez jusqu'à consistance lisse. Hors du feu, incorporez le sucre, les œufs et l'extrait de vanille. Versez dans le moule à pizza. Enfournez à mi-hauteur du four pour 13 à 15 min ; la pâte est prête lorsqu'elle ne retient pas la marque d'un doigt qu'on y appuie légèrement. Laissez refroidir sur une grille métallique.

Mettez la base de la pizza à refroidir au réfrigérateur environ 30 min. À l'aide du robot ménager, fouettez en chantilly la crème fleurette additionnée de sucre glace. Sortez la glace à la vanille du congélateur et réservez 5 min ; elle doit être légèrement ramollie. Étalez-la en couche de 1 cm (⅓ po) d'épaisseur sur le brownie, en laissant libre un pourtour de 1 cm (⅓ po). Décorez de crème Chantilly et de bonbons. Conservez au congélateur jusqu'au moment de servir.

Voir variantes p. 278

Pizza-cookie aux pépites de chocolat

Pour 1 pizza de 30 cm (12 po) de diamètre – 6 à 8 personnes.

Si vous avez jamais imaginé impressionner un groupe d'enfants, essayez cette pizza-cookie : résultat garanti !

Base
225 g de farine blanche
1 c. à c. de bicarbonate de soude
½ c. à c. de sel

175 g de beurre doux, ramolli
250 g de sucre roux
1 gros œuf, légèrement battu
2 c. à c. d'extrait de vanille
215 g de pépites de chocolat

Garniture
35 cl (1 ⅓ tasse) de glaçage à la vanille du commerce
5 c. à s. de sauce caramel du commerce

Préchauffez le four à 350 °F (180 °C).

Dans un saladier de taille moyenne, mélangez la farine, le bicarbonate de soude et le sel. Réservez.

À l'aide du robot, fouettez 2 min le beurre et le sucre roux, jusqu'à consistance mousseuse. Ajoutez l'œuf et l'extrait de vanille, puis incorporez la farine et les pépites de chocolat.

Garnissez un moule à pizza de 30 cm (12 po) de diamètre de papier sulfurisé, puis de pâte. Enfournez pour 30 à 35 min ; la pâte doit être dorée, avec les bords légèrement brunis. Laissez-la refroidir sur une grille métallique. Garnissez de glaçage à la vanille, puis recouvrez de caramel.

Voir variantes p. 279

Pizza amandes-framboises

Pour 2 pizzas de 30 cm (12 po) de diamètre – 10 à 12 personnes.

Cet irrésistible dessert mêle délicieusement meringue et pâte d'amandes.

1 pâte à pizza fine (réduire de 1/3
   les proportions de la recette p. 17)
3 gros œufs, pour les blancs
115 g de pâte d'amandes, ramollie

350 g de confiture de framboises (sans pépins)
215 g de framboises fraîches
150 g d'amandes effilées et grillées
2 c. à s. de sucre glace

Préchauffez le four à 450 °F (230 °C).

Garnissez deux moules à pizza de papier sulfurisé. Étalez la pâte à pizza en 2 abaisses
de 30 cm (12 po) de diamètre que vous disposez dans les moules.

Dans le bol du robot, fouettez les blancs d'œufs en neige. Ajoutez la pâte d'amandes
et mélangez jusqu'à consistance lisse. Incorporez ensuite la confiture de framboises.

Garnissez chaque disque de pâte de la moitié de la préparation à la pâte d'amandes,
en ménageant un pourtour de 1 cm (1/3 po). Enfournez à mi-hauteur du four pour 10 à 12 min ;
la pâte doit être dorée et la garniture ferme. Laissez refroidir sur une grille métallique.

Parsemez chaque pizza de la moitié des framboises, des amandes effilées et du sucre glace.
Servez sans attendre.

Voir variantes p. 280

Pizza aux figues, à la ricotta et au miel

Pour 2 pizzas de 30 cm (12 po) de diamètre – 10 à 12 personnes.

En mêlant les éléments d'un bon petit déjeuner, on obtient une délicieuse pizza dessert !

1 pâte à pizza fine (réduire de $1/3$
    les proportions de la recette p. 17)
115 g de ricotta
2 c. à s. de sucre glace

4 à 6 figues mûres, coupées dans la longueur
3 c. à s. de miel liquide
Un peu de farine pour la pelle

Préchauffez le four à 450 °F (230 °C) et placez-y, à mi-hauteur, une pierre de cuisson pour pizza.

Étalez la pâte à pizza en 2 abaisses de 30 cm (12 po) de diamètre. Disposez l'un des disques sur une pelle à pizza légèrement farinée.

À l'aide du robot, mélangez la ricotta et le sucre jusqu'à consistance lisse. Garnissez la première abaisse de la moitié de cette préparation, en prenant soin de ménager un pourtour de 1 cm ($1/3$ po). Disposez par-dessus la moitié des figues tranchées et arrosez de la moitié du miel. Faites délicatement glisser la pizza sur la pierre de cuisson.

Laissez cuire 12 à 15 min ; la pâte doit être légèrement gonflée et dorée. Au sortir du four, laissez refroidir sur une grille métallique. Répétez l'opération pour la deuxième pizza.

Voir variantes p. 281

Variantes

Pizza au chocolat

Recette de base p. 253

Pizza au chocolat et à la noisette
Suivez la recette de base, en remplaçant la sauce au chocolat par la même quantité de pâte à tartiner au chocolat et à la noisette (type Nutella).

Pizza au chocolat et à la framboise
Suivez la recette de base, en ajoutant 2 à 3 c. à s. de framboises fraîches par-dessus les pépites de chocolat fondues (après le deuxième passage au four de la pizza).

Pizza au chocolat et à l'orange
Suivez la recette de base, en remplaçant les pépites de chocolat au lait par la même quantité de chocolat à l'orange, coupé en petits morceaux.

Pizza au chocolat et au gingembre
Suivez la recette de base, en ajoutant 2 c. à s. de gingembre confit par-dessus les pépites de chocolat fondues (après le deuxième passage au four de la pizza).

Pizza à la pomme et aux airelles

Recette de base p. 254

Pizza à la pomme, aux airelles et à la noix de coco
Suivez la recette de base, en agrémentant la préparation à la pomme
de 20 g de noix de coco desséchée.

Pizza à la pomme, aux airelles et aux amandes
Suivez la recette de base, en parsemant la préparation à la pomme de 25 g
d'amandes effilées.

Pizza à la pomme et aux raisins
Suivez la recette de base, en remplaçant les airelles séchées par la même
quantité de raisins secs.

Pizza à la pomme et à la cardamome
Suivez la recette de base, en agrémentant la préparation à la pomme
de ¼ c. à c. de cardamome moulue.

Variantes

Pizza au streusel

Recette de base p. 257

Pizza au streusel et à la ricotta
Suivez la recette de base, en remplaçant le fromage frais par la même quantité de ricotta.

Pizza au streusel et au mascarpone
Suivez la recette de base, en remplaçant le fromage frais par la même quantité de mascarpone.

Pizza au streusel et aux framboises
Suivez la recette de base, en remplaçant les fraises par la même quantité de framboises fraîches.

Pizza au streusel et aux fruits rouges et noirs
Suivez la recette de base, en remplaçant les fraises par la même quantité d'un mélange de fruits rouges et noirs.

Pain à la vanille

Recette de base p. 258

Pain à la cannelle
Suivez la recette de base, en remplaçant l'extrait de vanille et la gousse
de vanille par ½ c. à c. de cannelle en poudre. Remplacez l'extrait de vanille
du glaçage par ¼ c. à c. de cannelle moulue.

Pain à la vanille et aux airelles
Suivez la recette de base, en ajoutant à la pâte 75 g d'airelles séchées après
y avoir incorporé toute la farine.

Pain à la caroube
Suivez la recette de base, en omettant l'extrait et la gousse de vanille et
en agrémentant la farine de 25 g de poudre de caroube. Omettez le glaçage
à la vanille.

Pain aux pépites de chocolat
Suivez la recette de base, en ajoutant à la pâte 75 g de pépites de chocolat
amer, après y avoir incorporé toute la farine.

Variantes

Pain frit sucré

Recette de base p. 261

Pain frit sucré à la cannelle
Suivez la recette de base, en ajoutant au sucre de glaçage ½ c. à c. de cannelle en poudre.

Pain frit sucré à la compote de pommes
Suivez la recette de base, en garnissant chaque pièce de 2 c. à s. de compote de pommes.

Pain frit sucré au chocolat et à la noisette
Suivez la recette de base, en supprimant le glaçage au sucre. Garnissez chaque pièce de 2 c. à s. de pâte à tartiner au chocolat et à la noisette (type Nutella).

Pain frit sucré aux noix de pécan caramélisées
Suivez la recette de base, en ajoutant à la pâte un hachis de 40 g de noix de pécan caramélisées, après y avoir incorporé toute la farine.

Pain au citron et aux airelles

Recette de base p. 262

Pain au citron et à la myrtille
Suivez la recette de base, en remplaçant les airelles séchées par la même quantité de myrtilles séchées.

Pain au citron et à la groseille
Suivez la recette de base, en remplaçant les airelles séchées par la même quantité de groseilles séchées.

Pain au citron et au raisin
Suivez la recette de base, en remplaçant les airelles séchées par la même quantité de raisins secs.

Pain au citron et à la cerise
Suivez la recette de base, en remplaçant les airelles séchées par la même quantité de cerises confites.

Pain au citron et à la papaye
Suivez la recette de base, en remplaçant les airelles séchées par la même quantité de papaye confite coupée en petits morceaux.

Variantes

Pizza-brownie à la glace vanille

Recette de base p. 265

Pizza-brownie à la glace au chocolat
Suivez la recette de base, en remplaçant la glace à la vanille par la même quantité de glace au chocolat.

Pizza-brownie à la glace mascarponée
Suivez la recette de base, en remplaçant la crème fouettée par la même quantité de mascarpone.

Pizza-brownie à la glace stracciatella
Suivez la recette de base, en ajoutant à la pâte à brownie 25 g de noix concassées après y avoir incorporé la farine. Remplacez la glace à la vanille par la même quantité de glace stracciatella. Substituez à l'assortiment de bonbons 25 g de noix concassées.

Pizza-brownie à la glace au chocolat, sauce caramel
Suivez la recette de base, en arrosant la couche de glace de 5 c. à s. de sauce caramel avant de la recouvrir de crème fouettée et de bonbons.

Pizza-cookie aux pépites de chocolat

Recette de base p. 266

Pizza-cookie aux pépites de caramel
Suivez la recette de base, en remplaçant les pépites de chocolat par la même quantité de caramel dur concassé.

Pizza-cookie aux pépites de chocolat noir et blanc
Suivez la recette de base, en utilisant un mélange de pépites de chocolat noir et de chocolat blanc.

Pizza-cookie aux cacahuètes concassées
Suivez la recette de base, en remplaçant les pépites de chocolat par la même quantité de cacahuètes concassées.

Pizza-cookie au caramel mou
Suivez la recette de base, en remplaçant les pépites de chocolat par la même quantité de caramel mou en morceaux.

Variantes

Pizza amandes-framboises

Recette de base p. 269

Pizza amandes-framboises à la sauce chocolat
Suivez la recette de base, en parsemant chaque pizza de 4 c. à s. de pépites de chocolat après y avoir disposé les framboises et les amandes effilées.

Pizza-cookie amandes-framboises
Suivez la recette de base, en remplaçant la pâte à pizza fine par 400 g de pâte à cookie. Étalez la pâte en 2 disques de 30 cm (12 po) de diamètre, en utilisant les chutes de la première pour compléter la seconde. Ajustez, si nécessaire, la température du four.

Pizza amandes-mûres
Suivez la recette de base, en remplaçant la confiture de framboises (sans pépins) par la même quantité de confiture de mûres (sans pépins) et en remplaçant les framboises fraîches par la même quantité de mûres fraîches.

Pizza aux figues, à la ricotta et au miel

Recette de base p. 270

Pizza aux figues, à la ricotta, au miel et au thym
Suivez la recette de base, en parsemant la préparation à la ricotta
de ¼ c. à c. de thym.

Pizza aux figues, à la ricotta et au sirop d'érable
Suivez la recette de base, en remplaçant le miel par la même quantité
de sirop d'érable.

Pizza aux figues, au mascarpone et au miel
Suivez la recette de base, en remplaçant la ricotta par la même quantité
de mascarpone.

Pizza à la fraise, à la ricotta et au vinaigre balsamique
Suivez la recette de base, en remplaçant les tranches de figue par 50 g
de fraises équeutées (pour chaque pizza) er en remplaçant le miel par
2 c. à c. de vinaigre balsamique.

Index

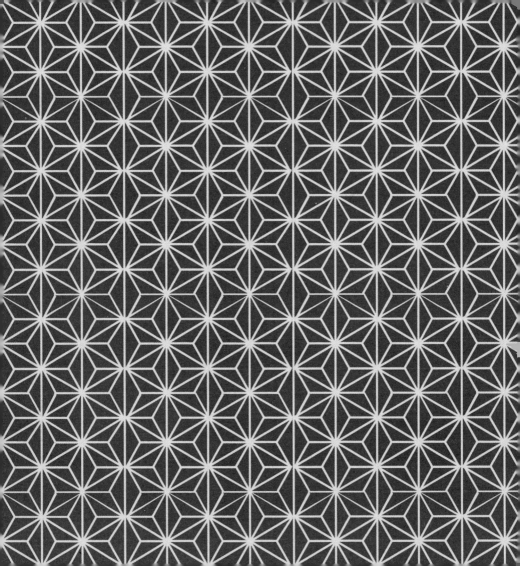